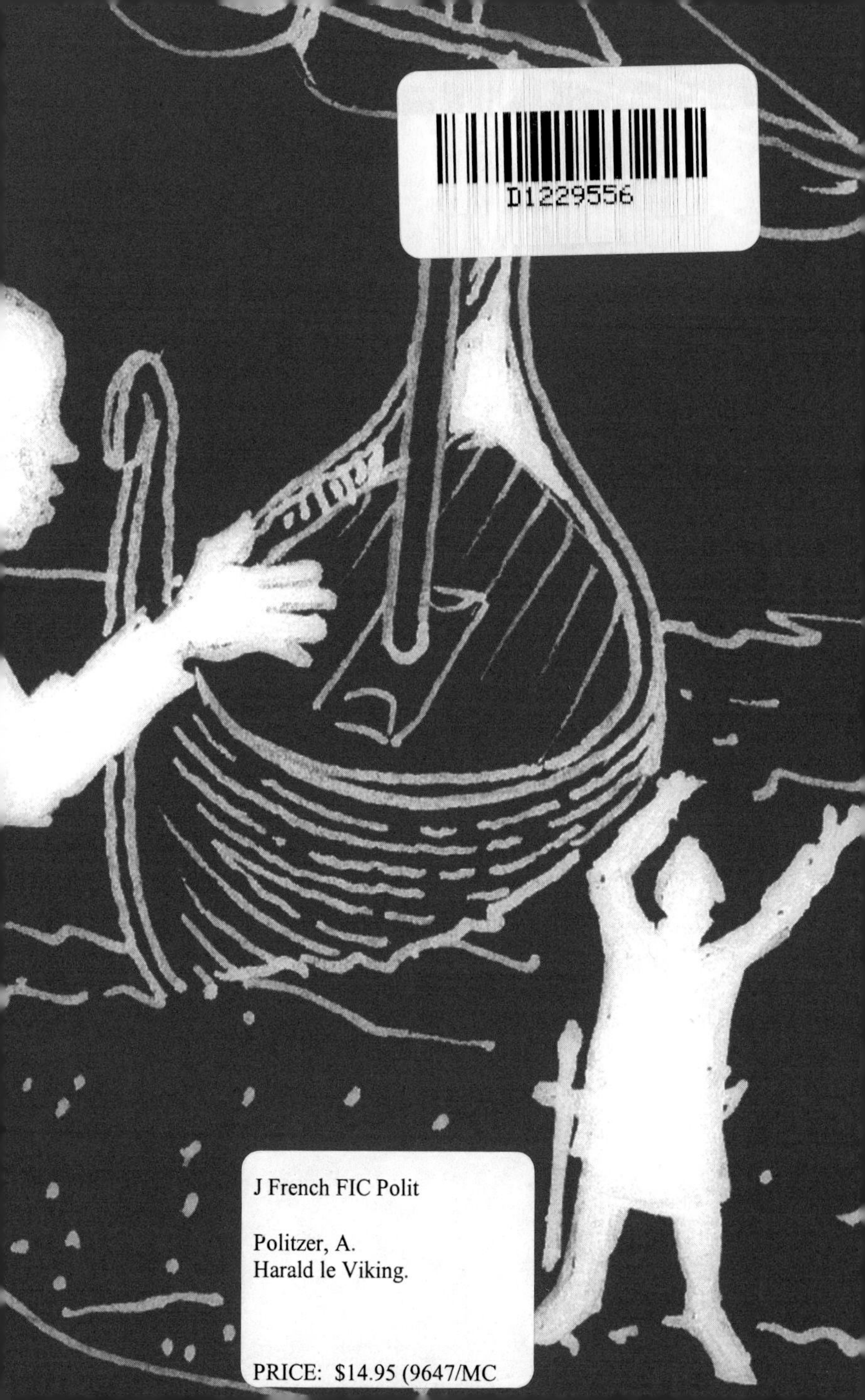
D1229556

De la même auteure

Les carnets de croquis de Robinson Crusoé
Des mégalithes et des hommes
aux éditions Coop Breizh

Dans la collection *L'Histoire comme un roman*
Bison-Noir, l'Indien des Plaines
Robin des Bois
Wakor, le chasseur des Falaises Blanches

Les romans de la collection *L'Histoire comme un roman*
seront racontés pour les plus jeunes,
en images et en couleurs, en novembre 2006.

Le présent ouvrage est l'adaptation d'un album illustré
paru aux éditions Seghers et Cuénot en 1976,
sous le titre *Harald le Viking, mes carnets de croquis.*

Illustrations : Michel Politzer

ISBN : 2-909421-56-2

Loi 49-956 du 16 juillet 1949
sur les publications destinées à la jeunesse

L'Histoire comme un roman

Harald le Viking

Anie Politzer

Gulf Stream Éditeur

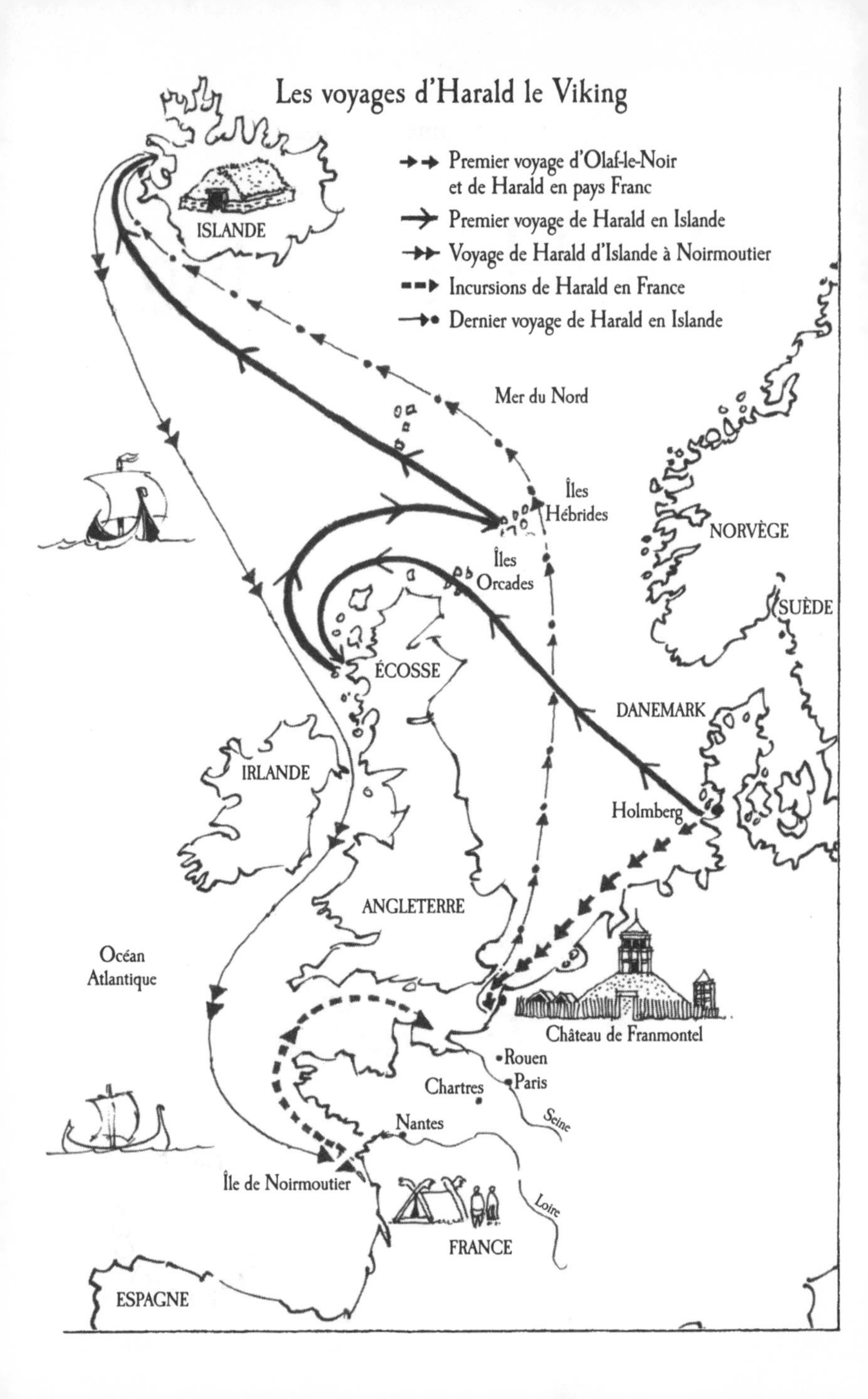
Les voyages d'Harald le Viking
Premier voyage d'Olaf-le-Noir et de Harald en pays Franc
Premier voyage de Harald en Islande
Voyage de Harald d'Islande à Noirmoutier
Incursions de Harald en France
Dernier voyage de Harald en Islande
ISLANDE
Mer du Nord
Îles Hébrides
NORVÈGE
Îles Orcades
SUÈDE
ÉCOSSE
DANEMARK
IRLANDE
Holmberg
ANGLETERRE
Océan Atlantique
Château de Franmontel
Rouen
Paris
Chartres
Seine
Nantes
Île de Noirmoutier
Loire
FRANCE
ESPAGNE

Les héros du roman

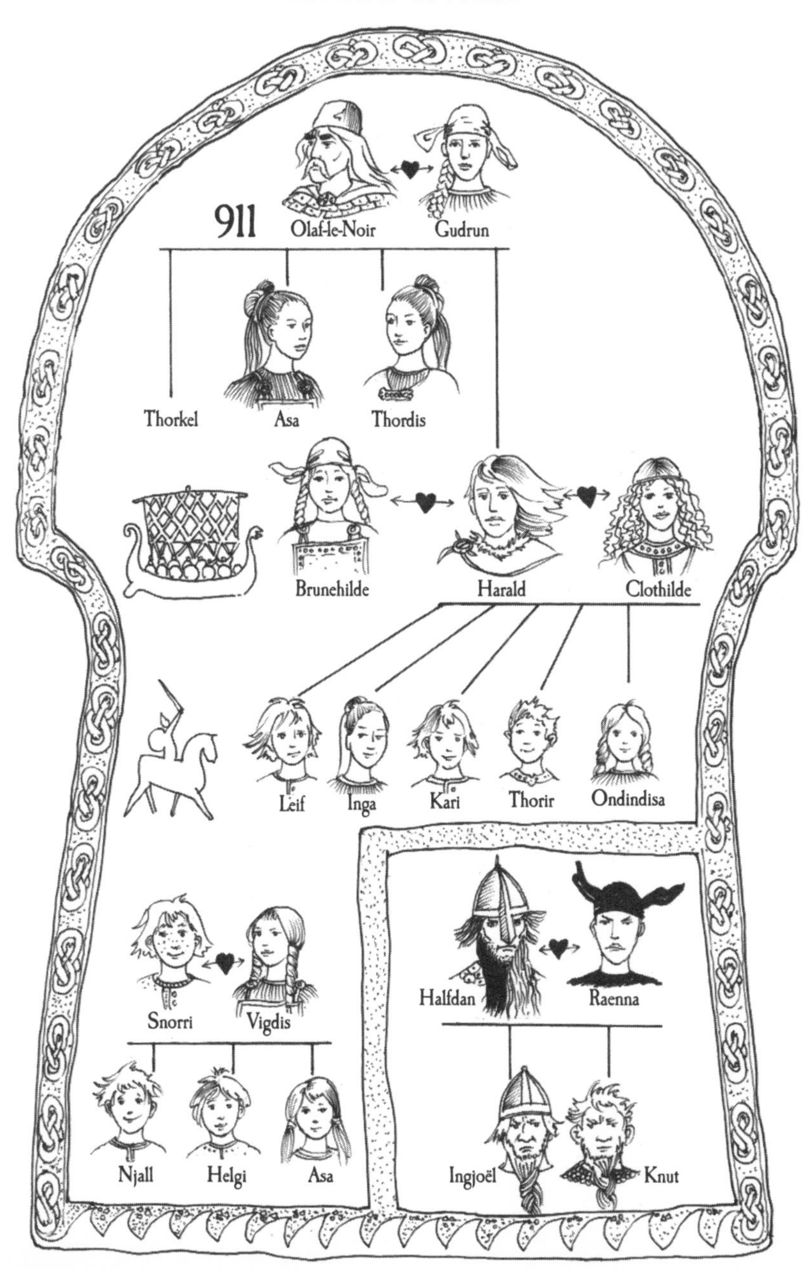

1

Jeté dans une fosse

Ce jour-là, mon père, le terrible Olaf-le-Noir, affûte son épée sur une meule. Dans la grange, le contact du fer sur la pierre fait si grand bruit que je dois hurler pour lui dire :
– Père ! Quand donc me prendrez-vous à bord de votre drakkar* pour un de ces voyages dont vous revenez si plein de fierté ?
Il crie à plein gosier :
– Trop jeune, trop tendre, tu n'es pas capable de suivre nos courses en mer. Apprends d'abord à guerroyer ! Après, nous verrons !
Je le sais. Avant ses quatorze ans, un fils de Viking ne doit pas mettre les pieds sur un navire et c'est à seize ans qu'il reçoit son épée. Aussi, je bataille dur pour être toujours le vainqueur dans les jeux qui nous opposent, moi et mes compagnons : Ivar et Haeng, fils de paysans, et Snorri, fils de seigneur* comme mon père.
Nous dressons un cercle de pierres dans lequel nous combattons avec ardeur. Je ne ménage ni les coups de

mon épée en bois ni les coups de hache en frêne, ni surtout ma peine. Parfois cela tourne mal et Brunehilde “la très blonde” se moque de nous.
Ce sont des parodies de duels mais nous en sortons exaltés, rouges et couverts de bleus !
Plus je suis contusionné, plus mes habits sont déchirés, plus il me semble que mon père, satisfait, se laissera fléchir. Je rêve d’être à ses côtés, partageant les périls de ses expéditions qui nous rapportent tant d’or, de bijoux et d’esclaves.

J’ai donc mes quatorze ans quand mon père rentre de l’une de ses courses en mer dans un état de rage folle.
Ma mère, la haute Gudrun aux nattes épaisses comme le poing, retient ses larmes. Paysans, serfs, esclaves, parents, amis, tous sont pétrifiés de peur.
– Je ne comprends pas ! chuchote Snorri, le raid a été fructueux, tous les drakkars sont rentrés sains et saufs !
- Tu oublies qu’un knar* marchand a été coulé et que six Vikings* ont disparu !
– Ce n’est ni la première ni la dernière fois que cela arrive ! Non, cette fois-ci, il se passe quelque chose d’extraordinaire. Mais quoi ?

Dès le lendemain, ma mère me cache sous un tas de couvertures. Pire, la nuit venue, mon père, le visage assombri, m’ôte mon épaisse tunique de laine colorée et m’enfile la robe grise d’un esclave. Il me barbouille le visage de boue et, malgré mes cris, il

m'écarte de la maison et me jette dans une fosse à grains vide !
Il recouvre la trappe d'un tas de bois.
Je reste caché, séquestré de longs jours sans voir personne, surveillé par Helgi, un vieux serf* devenu régisseur et qui a toute la confiance de mon père. M'apportant chaque jour une jatte de soupe, le pauvre homme a les larmes aux yeux devant ma détresse mais il reste inflexible et m'ordonne de me taire.
Qu'ai-je fait pour mériter un tel traitement ?
Je gémis pendant un mois et demi.
J'entends autour de moi que l'on répond aux gens qui s'inquiètent de ces sanglots que c'est un cochon qui grogne.
Quelle faute ai-je donc commise ?
Un soir, Snorri vient rôder autour de ma fosse.
– Psst ! Psst ! Au secours Snorri !
Par la trappe qui scelle l'ouverture à ras du sol, je vois ses mollets.
– Snorri !
Les mollets disparaissent aussitôt.
– Snorri ! C'est moi Harald ! Ton ami de toujours !
Une figure ahurie fait place aux mollets dans la fente du bois :
– Que fais-tu dans ce trou ? Quelle frousse tu m'as faite ! Tu es mort mon ami, au cas où tu ne le saurais pas ! Mais que fais-tu là ?
– Je compte sur toi pour me l'apprendre !
– Mais on dit partout que tu es mort ! On te pleure bruyamment. Ta tunique de laine a été retrouvée tachée

de sang, au fond d'un trou de tourbe. Ta mère, tes sœurs, tout le monde est triste. Tout va mal par ici ! Que se passe-t-il ?
– Rien de bon assurément. Vois dans quel état misérable je suis !
La face pleine de taches de rousseur disparaît.
Je touche alors le fond du désespoir car un gros bruit de pas fait trembler le sol.
Une voix crie :
– Ouste ! File de là, toi ! Les rats sont après le grain ! J'envoie les chiens pour les chasser !
Ni rats ni chiens n'apparaissent. J'attends longtemps. La nuit est claire et froide. Soudain, dans la lueur d'une lampe à huile, la face réjouie de Snorri s'encadre dans la fissure.
– Voici de quoi te contenter un peu !
D'un coup de pierre, Snorri agrandit l'ouverture de ma trappe et me glisse une galette de blé noir, du jus de pomme dans un gobelet et un oiseau rôti dans une feuille de hêtre.
Il doit se cacher, me dit-il, pour me revoir et me promet une prochaine visite.
Plusieurs jours passent encore.
Ma mère, je le sais, pleure quand on ne la voit pas.
Je grimpe en m'aidant de pierres et, à travers la fente élargie de la trappe, je vois sa haute silhouette au milieu des esclaves et des paysannes qui soignent les poules, trient les baies, secouent les paillasses.
La vie dans la ferme de mon père continue, mais sans moi !
Olaf-le-Noir, muet et renfrogné, prépare un autre raid.

Je le vois traverser la cour d'un pas nerveux, rabrouant l'un, bousculant l'autre. Je comprends pourquoi on l'appelle "le Noir". Il parle haut et dur. Aux dires de Snorri, mon père doit se hâter de repartir.
– Déjà ! Mais l'or de la dernière course n'est pas encore épuisé !
– Il en veut toujours davantage.
Quelle frénésie pousse donc mon père à piller le monde ?
C'est bientôt l'été. Le soleil, un peu plus chaud chaque jour, baigne plus longtemps d'une clarté blanchâtre les collines brumeuses de ma contrée, le Danemark.
Du moins je le suppose ! Car en fait de clarté, seule une mince lanière de jour balaye mon réduit.

Or, ce matin-là, ma trappe s'ouvre. Le bras de mon père me saisit par le col et me fait jaillir de ma fosse. Il éclate de rire à ma vue, me secoue et me fait prendre un bain dans une petite crique de la rivière. Puis, m'ayant revêtu d'une chaude tunique, il me dit :
– Harald ! J'ai décidé aujourd'hui de t'embarquer avec moi. Nous quittons Holmberg ce matin même pour les côtes du pays des Francs. Dis adieu à ta mère et suis-moi !
Je suis ivre de joie. Je crois que ma vaillance à l'épée de bois l'a ébloui et que ma patience à croupir dans la fosse à grains l'a convaincu de ma force de caractère et de mon endurance.
Je cours rejoindre ma mère dans la grange.
Elle surveille les esclaves en train de suspendre la lessive. Vingt chemises tissées avec la laine de nos

moutons gris fument sous le vent encore froid qui s'engouffre par la porte. Je me jette dans ses bras :
– Mère ! Je pars sur le drakkar de mon père !
– J'aimais mieux te savoir dans ton trou que bientôt sur les flots déchaînés, me dit-elle en riant.
– Parce que vous savez quel traitement indigne on m'a fait subir ?
– J'ai même veillé à ce que tu ne pointes ton museau pour respirer qu'une fois la maisonnée bien endormie...
– En quoi ai-je donc démérité ? Je suis rempli de honte et bouillant de fureur contre ceux qui m'ont...
– N'en dis pas plus, mon fils ! C'est ton père et moi-même qui t'avons caché, pour ton bien ! Et avant que tu ne t'épuises à réclamer justice, écoute-moi : au cours de son dernier raid, le convoi des six drakkars que commandait ton père fut attaqué et abordé par traîtrise par un terrible Viking norvégien, Halfdan Barbe-Deux-Couleurs. Un pirate que rien ni personne jusqu'à ce jour n'avait pu arrêter dans ses crimes...
Il aime le mal, dit ma mère après un silence d'effroi. Ton père n'est pas un Viking ordinaire, reprend Gudrun, mais Halfdan est cent fois plus hargneux et ne connaît pas la pitié. Au cours du combat naval, ton père fendit en deux le bouclier d'Halfdan et précipita le bandit dans les eaux profondes. Halfdan se noya sous les yeux de ses compagnons. Aussitôt, les hommes d'Halfdan, rendus furieux, jurèrent qu'ils traîneraient ton père devant l'assemblée de justice.
L'un d'eux, son fils Ingjöel, se mit à hurler :
« Je te punirai Olaf-le-Noir ! Je détruirai ta misérable

descendance en la personne de ton fils Harald ! » Paroles jetées au vent dans l'excès de douleur devant la mort de son père Barbe-Deux-Couleurs ou menaces bien réelles ? Ton père, traduit en justice, a été reconnu coupable et doit payer le prix du sang : une énorme rançon. Toi, mon fils, tu es toujours en danger ! Quand ton père aborda nos côtes, il fit répandre le bruit que tu étais introuvable, mort, dévoré par un loup ou noyé dans une tourbière et il te fit disparaître aux yeux de tous ; même Snorri crut à ta mort et te pleura beaucoup.

J'ai un sourire qui échappe à ma mère.

– Ton père repart ce matin pour les côtes de la Francie. Il t'emmène avec lui pour te protéger de la fureur des Norvégiens. Il ne pouvait te laisser pourrir dans ton trou plus longtemps. Il va te conduire chez un cousin et allié qui s'est établi en France dans l'île de Jeufosse à l'entrée d'un fleuve... la Seine* je crois. Là où les Norvégiens ne viendront pas te chercher ! Voilà pourquoi, mon fils, nous t'avons si mal traité. Viens sur mon cœur, Harald !

Un clair matin, j'embarque donc sur le drakkar de mon père avec Snorri, aussi heureux que moi. Dès la première nuit, un mal étrange s'empare de moi. J'avais déjà navigué de criques en criques sur de petits knars. Bien protégés de la houle, les fjords étaient comme des lacs où nous jouions à sauter de rames en rames pour épater les filles restées sur la rive. Hélas ! Loin de l'abri des côtes, l'immense navire plonge au cœur des mers en un ample mouvement de

bascule qui me lève l'estomac.
Je refuse toute nourriture et me recroqueville au fond du bateau.
Mon père m'aperçoit, éclate de rire et me jette un seau d'eau sur la tête.
– Allons ! Debout ! Je ne t'ai pas tiré de ta fosse pour que tu passes ton temps au fond de la cale ! Rends-toi utile ! Prends cet aviron et souque ferme mon garçon, nous arriverons plus vite !
Je dois obéir et ramer, assis sur un coffre, hébété, le vent glacé sifflant sur ma nuque et hérissant mes cheveux mouillés. Je vois bien que je suis le seul à ramer car le vent est bon. Le drakkar, la voile gonflée, file comme une flèche et les hommes, bras croisés, rient et se moquent de moi. Seul Snorri ne rit pas. Il vient près de moi et appuie sur le long aviron.
Pas une seule fois notre rame n'a touché la mer tant le bois est lourd à manier !
– Estime-toi heureux, me glisse un des hommes du clan qui secoue les sacs de couchage en fourrure pour la nuit, la mer n'est pas très grosse. Sinon, tu aurais déjà voltigé en haut du mât !

Quatre jours et quatre nuits nous avons navigué. Plus nous approchons des côtes franques*, plus le visage de mon père s'assombrit.
Soudain, ses ordres claquent. Tous les compagnons se précipitent sur leur coffre et en tirent leur cotte de mailles et leurs armes. Une fois équipés, ils s'assoient sur les coffres. À grands gestes, ils saisissent les longues

rames et s'approchent le plus près possible du rivage. La voile est abaissée. Les figures de dragon sont fixées à la proue et à la poupe, les boucliers glissés dans la rainure de la coque pour protéger les hommes.
Le drakkar glisse en silence. C'est à peine l'aube. Je dévore des yeux le pays des Francs.
Tout à coup, un grand son de trompe retentit. J'aperçois, à flanc de colline, un berger minuscule qui court de toutes ses forces en soufflant comme un phoque.
Mon père jure entre ses dents :
– Tuez-le ! Vite, le maudit va donner l'alerte au village !
Je regarde vivement mon père. Qu'a-t-il dit ?
Le drakkar accoste en douceur, les hommes sautent à terre en hurlant et se ruent sur le berger ; mais le garçon leur échappe, trompettant de la corne* tant qu'il le peut. Nous le poursuivons. Il atteint le village et disparaît derrière une palissade.
Aussitôt des clameurs s'élèvent. Les cloches de l'église sonnent. Les lourdes portes de bois se referment.
En vain.
La clôture cède sous notre assaut.
Je vois les gens fuir de tous côtés, affolés, les femmes hurlent portant les petits dans leurs bras, les plus grands trébuchant devant elles.
Et puis, à ma grande surprise, je vois ces pauvres gens tenter de résister ! Des paysans lèvent leur hache, d'autres brandissent des fourches ; qui avec sa houe, qui avec un bâton, ils se battent pour défendre avec courage leur famille et leurs biens.
Rien ne se déroule comme me l'avait décrit mon père

qui se moquait si fort des paysans francs ; mais que peuvent-ils contre l'épée de nos guerriers ?
Beaucoup s'écroulent violemment frappés.
Nos Vikings sont déjà dans les maisons d'où ils ressortent avec des vivres et des tonneaux. La porte de l'église vole en éclats. Nos hommes pillent le trésor.
Moi qui hurlais de joie avec Snorri en sautant du drakkar sur cette plage inconnue, je me trouve dans une vague de violence et de cris au milieu d'un village que l'on meurtrit.
Saisi d'angoisse, je titube.
Mon père ! J'ai vu mon père jeter un enfant à terre, du plat de son épée !
Olaf-le-Noir, le chef glorieux, généreux, fier de ses exploits et de son épée qu'il appelle *Éclair du Combat*, est-ce bien lui que je viens de voir, le visage noir de fureur, abattre son arme sur un garçon de mon âge qui levait un gourdin ?
Deux ou trois paysans, me voyant là, pétrifié, crient :
– Attrapez-le ! C'est un fils de Viking ! C'est une bonne prise !
Je m'élance, cours, me faufile dans des petites ruelles.
Derrière moi s'élèvent une fumée noire, des pleurs et des cris de frayeur.
– L'avez-vous vu ? Par ici ! hurlent mes poursuivants.
Je galope, fonce et plonge dans un bosquet touffu.
Les paysans battent les buissons un long moment puis renoncent et s'éloignent en jurant.
Je suis traversé de frissons, le nez dans cette terre étrangère, lieux maudits des exploits de mon père et

de ses guerriers. Aucun des récits de nos anciens ne laissait deviner l'horreur et la haine que nous déclenchons partout où nous passons et la cruelle misère que nous laissons derrière nous !
L'herbe haute où je me blottis pour reprendre mon souffle est odorante. Des fruits inconnus pendent aux branches d'arbres. La lumière au travers des feuilles est d'un bleu intense. « Olaf-le-Noir ! Pourquoi avoir porté le fer, le feu et le sang dans ce pays béni ? Qui croirai-je à présent quand on me chantera les louanges des fiers Vikings de mon clan ? »
La terre gronde soudain. C'est une troupe de cavaliers. Les chevaux lourdement montés déboulent sur la lande où je me cache. Je n'ai jamais vu de chevaliers francs, mais ces hommes en armes qui galopent furieusement sortent tout droit des récits de nos guerriers. Ils passent si près de moi qu'ils pourraient me piétiner. Ils se ruent sur le village en poussant des cris de rage.
J'entends aussitôt les Vikings de mon clan, surpris, qui hurlent leur cri de guerre et de ralliement.
La bataille engagée doit être terrible.
Je cours vers les miens. De gros oiseaux noirs s'envolent en croassant, les corbeaux d'Odin*, à n'en pas douter ! Le danger menace mon père, Snorri et ceux de mon clan. Je me jette au beau milieu d'un groupe d'hommes armés qui gardent des chevaux à l'entrée du village. Aussitôt, un coup violent sur la tête me fait sombrer dans un sommeil rouge.

2

Otage du seigneur franc

Voici plus de deux ans que je suis prisonnier des Francs en pays de Neustrie*, enfermé dans le château de sire Hubert de Franmontel. Ce sont ses hommes qui m'ont arrêté ; c'est lui qui les a empêchés de me fracasser le crâne.

– Jeune Harald-le-Danois, me dit souvent cet homme grave, sais-tu que ton père a subi sa première défaite ce jour-là et qu'il a tout juste eu le temps de se jeter dans son drakkar en laissant quatre de ses hommes à terre ? Il n'est pas prêt de revenir. Je lui ai fait savoir, par un marchand frison*, que s'il posait le pied sur notre grève, tu serais aussitôt pendu en haut de notre donjon. Et, par le fait, nous ne l'avons jamais revu !

– Par Dieu ! Si nous unissions nos forces pour rejeter à la mer ces sauvages païens, nous en viendrions à bout ! dit avec mépris Arnold, un vieil ami d'Hubert. Notre empereur Charlemagne*, tant qu'il a vécu, a su retenir la ruée des Vikings sur les côtes de la Frise !

– Mon ami, il y a de cela presque cent ans. Depuis,

les Vikings sont partout, plus entreprenants et plus sanguinaires que jamais !
– Seigneur ! Préservez-nous de la fureur* des terribles Normans* ! marmonne alors le chapelain, récitant la prière quotidienne qu'entonne avec lui toute la maisonnée du seigneur de Franmontel.
Et moi, je fais toujours cette fière réponse :
– Votre Dieu n'y pourra rien et mon père viendra me délivrer !
Alors, les gens se signent et s'enfuient avec horreur.
Seule Clothilde, la jeune fille d'Hubert, me sourit.
On me reconduit sans ménagement dans ma cellule.
Bien aéré, situé en haut du donjon et non pas dans un souterrain, mon logement me paraît un palais en regard de la fosse à grains où m'avaient enfermé mes parents.
J'y trouve bonne paillasse, bonne nourriture et deux ou trois beaux livres où j'apprends très vite à lire et à écrire en latin.
Mais rien ne me fait oublier que je suis un renard pris au piège et je pense que ma destinée est d'être perpétuellement enfermé quelque part.
De la minuscule fenêtre de la tour, je vois une campagne verdoyante où le blé, comme la mer, ondoie sous le vent... mais point de drakkar à l'horizon !
Sire Hubert vient parfois me visiter et me fait réviser mon latin.
Sa fille, Clothilde, grimpe jusqu'à mon perchoir, accompagnée de sa gouvernante. La jeune fille n'a plus sa mère.
– Qui êtes-vous, terrible Viking ? me demande-t-elle d'un petit ton impertinent.

– Je suis le fils d'Olaf-le-Noir, dis-je, prenant une grosse voix pour l'effrayer ; ce qui l'égaye beaucoup.
– Qui est Olaf-le-Noir ?
– Un puissant jarl, un seigneur, comme vous dites ici, un riche possesseur de terres, le chef d'un clan de paysans libres. Fier marin, il sillonne les océans pour piller l'or et les vivres dont le clan a besoin. Il fait du commerce aussi, il cultive ses champs, il...
– Bon, ça, c'est ton père. Toi, qui es-tu ?
– Un prisonnier, otage et misérable.
– Ah, tu m'agaces ! Réponds ou je te fais jeter au cachot !
– Je ne suis plus rien du tout, ici ! Tandis que dans mon pays danois, j'ai toujours vécu libre et sûr de ma force.
– Qu'y fais-tu, dans ton pays des brumes froides ?
– Skier, chasser, grimper sur les roches escarpées pour y dénicher des œufs, apprendre les runes* et quelques mots francs, nager, lancer des pierres et le javelot, chevaucher et manier l'épée et la hache. Mon père m'avait appris à ne compter que sur ma force. Voilà ce qui faisait toute ma vie. De plus, c'est cette année-ci que je devais recevoir une épée merveilleuse offerte par un ami de mon père, le grand Sigurd, le marchand russe*. Hélas ! Terré dans ma geôle, je croupis à mille lieues de chez moi. Je perds l'usage de mes jambes, je ne sais plus ni courir ni me servir d'une arme !
Gente Clothilde ! Laissez-moi sortir ! Revoir la mer et le soleil qui est si chaud en vos contrées !
La belle Clothilde rit et fait un pas de danse dans ses beaux atours de soie, de drap et de fourrure.
– Vous vous plaignez en fort bon latin, sire Harald !

Mieux que notre chapelain quand il déplore les mœurs du temps, et vous êtes plus joli à regarder et plus drôle !
– Cessez de vous moquer demoiselle ! Vous ne voyez donc pas que je me désespère. Priez votre père de me laisser voir la mer.
– Nenni, Harald, vous vous sauveriez ! Et votre terrible père reviendrait raser nos villages.
– Mais je vais en perdre la vie !
– Harald, contez-moi donc comment vos sœurs et votre mère arrangent leurs cheveux, pourquoi êtes-vous si grand et si blond et à qui vous devez obéissance en votre pays ?
Je lui réponds :
– Pourquoi les fruits d'ici sont-ils dorés, l'herbe si verte et les filles si curieuses ?
Elle tape du pied :
– Répondez ou je vous fais dévorer par mes chiens !
Nous éclatons de rire car ses molosses ne sont que des chiots de deux mois !
– Ma mère Gudrun est une belle femme à la superbe chevelure blonde qu'elle noue en deux longues tresses. Elle porte une robe de laine fine, plissée, avec deux tabliers de soie placés devant et derrière, retenus sur les épaules par deux énormes broches en or ciselé.
– Des fibules* comme celles qui ferment le col de ma cape d'hiver ?
– Oui, mais trois fois plus grosses !
– Et vos sœurs, Harald ?
– Elles s'appellent Asa et Thordis. Elles attachent leurs cheveux comme une queue de cheval et portent des

bracelets et des colliers d'argent moins gros que ceux de ma mère. J'ai aussi un frère aîné, Thorkel, qui est parti sur les mers du monde connu. Je ne dois obéissance qu'à mon père.
– Pas au seigneur ni au roi ?
– Il n'y a, chez nous, ni seigneur ni roi. Mon père, qui était un paysan, a été élu comme étant le plus valeureux et le plus digne de mener notre clan sur la route de la richesse. Mais il cultive toujours ses champs avec ses esclaves, il navigue et fait la guerre au loin. Il n'obéit à personne. Ses paysans deviennent vikings dès qu'ils partent sous ses ordres sur leurs drakkars des mers.
Clothilde fait la moue.
– Les choses ici ne se passent pas du tout comme cela. Tous les paysans sont des serfs, ils n'ont aucun droit, ils obéissent à mon père qui ne fait rien que chasser ou guerroyer pour un seigneur plus puissant que lui et tous les seigneurs grands et petits obéissent au roi.
– Personne n'est libre, alors ?
– Pas comme en votre pays !
Et Clothilde s'en va comme elle est venue, toute souriante.

Le lendemain, le loquet de ma porte bascule et Clothilde entre sans bruit.
– Ne dis rien et viens respirer la mer, me dit-elle en me prenant la main.
Nous sortons du château par un dédale de passages secrets. Ébloui par la lumière, je la suis. Dans la cour, derrière une masure, une brèche a été faite dans la haute

palissade. Le grand vent vient me fouetter le visage. Je m'élance comme un fou, à travers bois, vers la mer que j'entends gronder à mes pieds.
Clothilde s'arrête et me sourit.
Le vent est de plus en plus violent.
J'aperçois sur la plage une petite barque et ses deux avirons.
J'oublie tout. Ma prison, Clothilde... Je dévale la falaise, je cours sur le sable, pousse la barque à l'eau, saute dedans et je rame, rame de toutes mes forces.
« Oh mon père ! Toi qui me faisais ramer dans le vide sur le drakkar, vois comme je rame à présent pour ma vie, ma liberté ! »
Je ne veux pas entendre les cris d'épouvante de Clothilde, toute petite, de plus en plus lointaine.
Je veux revoir mon pays, mon père, ma mère et ma ferme d'Holmberg !
Soudain, une lame soulève mon bateau et le projette contre un énorme rocher.

Je ne sais combien de temps je suis resté inconscient. Couché sur ma litière de paille, je ronge mes poings de honte et de colère. J'entends encore le mugissement des vagues, le craquement de ma barque se brisant sur les rochers et le rire énorme de sire Hubert venu me secourir.
Le chapelain est entré, une fois, il s'est penché sur moi, m'a curieusement posé le pouce sur le front et fait un signe en forme de croix. Sire Hubert a pris de mes nouvelles et m'a soigné comme son fils.

Je ne vois pas Clothilde : la jeune fille, en pénitence, ne doit plus me visiter en mon triste donjon.
Doette, la servante, me monte mes repas et, comme je refuse de manger, elle me réconforte comme elle le peut :
– Vous êtes otage, jeune sire et vous devez vivre malgré vos sombres pensées. Songez un peu à moi ! Si vous mourriez, je serais bel et bien punie. Allons, mordez dans cette cuisse de poule !
Je me décide à manger mais Doette ne me fait nullement sourire.
Fuir, voilà mon unique désir ! Fuir ces lieux étouffants où je suis prisonnier, cette construction de pierres et de poutres énormes qu'on appelle en Francie, un château fort ; moi qui ne connais de mon pays que la lande, la forêt, le vent et la maison de terre et de gazon de mon père !
Je sais qu'en échange de ma vie sauve, les Hommes du Nord évitent d'aborder la crique que domine le château de Franmontel. Je sais que mon père a négocié le traité voilà deux ans. Il lui est impossible de venir me chercher !
Je me lève d'un bond, malgré ma fièvre, et cogne sur la porte fermée.
Un loquet bouge, la porte s'entrouvre. Je me tasse, prêt à bondir... et c'est Clothilde qui entre.
Elle n'a nulle peur et croque un fruit doré. J'écarquille les yeux. Je crois être au Walhalla*, accueilli par une des filles d'Odin.
Elle me tend un fruit et me dit :
– Harald-le-Danois, tu n'as pas fini de me conter com-

ment Sigurd, le marchand russe, t'a donné une épée merveilleuse. Mange cette prune gorgée de soleil.
Je mords dans le fruit :
– Je n'en ai jamais mangé. Nous n'avons que des pommes dans nos contrées froides et encore sont-elles rares ! Ce sont les oignons que nous dévorons comme dessert. Aimez-vous les oignons crus, gente Clothilde ?
– Pouah ! Je n'irai jamais dans votre pays de sauvages !
– Alors écoutez l'histoire de Sigurd. J'avais dix ans et j'étais chez mon oncle Éric, commerçant de la ville d'Hedeby*...
– Peu de temps avant que tes terribles compagnons normands ne viennent piller notre pays ?
– Je vois que vous ne me le pardonnez pas !
– Est-ce que mon père va ravager tes campagnes du Danemark ?
– Sire Hubert ne trouverait rien à piller chez nous ! Nous n'avons ni or ni abbaye bourrée d'objets précieux : ni calice d'or, ni grande croix d'or ornée de saphirs, d'émeraudes et d'une énorme améthyste, ni manuscrits reliés d'or...
– Arrête Harald, tu m'étourdis ! Tu inventes tout cela !
– Pas du tout ! Voici le livre dans lequel se trouve la liste du trésor de l'abbaye de Saint-Denis près de Paris. En 857, nos Vikings firent le siège de ce monastère et ce trésor servit de rançon pour libérer l'abbé Louis retenu en otage par nos guerrier ; en 887, l'année de ma naissance...
– Vous avez deux ans de plus que moi !
– Il y eut un autre pillage : seau à eau bénite en or,

autel d'onyx, calice d'émeraude, cape de soie ornée d'oiseaux...

– Assez ! Assez ! crie la jeune fille. Nous n'aurions pas dû t'apprendre à lire le latin !

– Comment ne serions-nous pas tentés par toutes ces richesses ? poursuivai-je, impitoyable. Nos campagnes sont pauvres, il fait très froid. Nous peinons à cultiver un peu d'orge, du seigle, de l'avoine et des pois ; notre bétail est chétif... Nous serions morts de faim si nous ne pouvions plus acheter, partout dans le monde, du blé, du vin, de la viande, des draps de laine, de la soie, de beaux objets ciselés et des esclaves pour travailler notre sol aride.

– Et vous tuez ceux qui vous résistent ! crie Clothilde.

Je baisse la tête, le souvenir d'un enfant levant son bâton me fait frissonner :

– C'est notre loi viking, dis-je tout bas.

– Elle est condamnée par l'Église.

– Nous obéissons à nos dieux guerriers, Odin et Thor !

– Ne parle pas d'eux à notre chapelain ! Il me gronde quand je dis à mes petits chiens : « Par Odin ! Voulez-vous m'obéir à la fin ! »

Je ris de bon cœur et Clothilde rit aussi.

– Quand tu avais dix ans, Harald... à Hedeby ?

– J'étais donc chez mon oncle quand Sigurd, le grand Russe, arriva sur son knar. S'approchant du rivage, il sauta dans l'eau et vint vers moi. J'étais assis sur le pas de la porte.

« Où est ton oncle, Éric Barbe-Longue ? tonne Sigurd, je viens le saluer et lui proposer des marchandises de

grand prix. Sais-tu s'il a des fourrures et des provisions à me vendre ? »
Mon oncle était quelque part dans la ville.
J'appelai donc Torm, le vieil esclave, gardien de la maison.
« Mon maître sera heureux de vous recevoir, dit Torm. Déchargez vos biens, rangez-les à l'abri et venez vous reposer. »
Aussitôt, Sigurd donna un ordre et dix à douze hommes sautèrent du bateau sur la berge.
Ils déchargèrent des ballots enveloppés de peaux, des tonneaux, des cruchons. Enfin, ils traînèrent deux hommes et une femme à la peau claire et aux cheveux noirs. Ils étaient enchaînés et paraissaient à bout de force.
« Harald ! Où vais-je coucher ces esclaves ? Je pense les vendre un bon prix mais pas avant qu'ils n'aient repris poids et bon aspect. »
Je les conduisis dans une grange où Sigurd leur fit porter un brouet d'orge, un morceau de viande et du pain noir.
En attendant le retour de mon oncle, Sigurd voulait régler un vieux litige avec Bjard le forgeron.
Sigurd martelait du talon les rondins qui pavaient la grand-rue, saluant avec de larges gestes les négociants turcs, slaves, norvégiens, venus des quatre coins du monde. Il s'arrêtait devant chaque échoppe, marchandait, se vantait d'être le meilleur commerçant... Il acheta fort cher du vin du Rhin dans un grand cruchon, de la viande et de l'huile de poisson vendus par nos paysans. Chez un artisan, qui travaillait l'os et la corne, il acheta

un peigne et deux dés en ivoire pour le jeu. Chez un autre, il acheta six aunes* de toile grossière du pays pour vêtir ses esclaves et douze aunes de drap fin venu de la Frise. À chaque achat, il sortait en soupirant une barre d'argent dont il cassait un bout plus ou moins gros et le faisait peser par le marchand.
Nous arrivâmes ainsi chez Bjard le forgeron.
Je le savais habile artisan. Il travaillait le fer qui arrivait de Germanie et le fondait lui-même dans un four. Il fabriquait des serrures inviolables, des armes, des ciseaux, des anneaux de harnais et des ornements de bronze : fibules et boucles. Tel Thor, le dieu des forgerons, il était respecté et ses fureurs le faisaient redouter de tous.

Quand Sigurd vit Bjard et quand Bjard vit Sigurd, le vacarme de la forge s'arrêta et la fumée devint noire. Les deux hommes se firent front. Puis ce fut un torrent d'injures :
Sigurd hurla : « Est-ce avec le bronze dont tu fais les épingles des femmes que tu forgeas mon épée ? Elle s'est brisée sur l'épée d'un Slave et m'a valu d'être humilié ! »
Bjard tonna : « La meilleure épée maniée comme une cuillère à pot se briserait sur un fromage. Celle que je t'ai forgée en fer de Suède valait celle d'Odin et tu m'en dois encore le prix ! »
Sigurd gronda, se rua sur Bjard et ils tombèrent dans la limaille et la cendre.
C'était un combat de géants.
Tout à coup, je vis Bjard rouler, saisir un lourd marteau

et le brandir au-dessus de la tête de Sigurd.
Je jetai sur eux un seau d'eau qui éclaboussa tout jusqu'aux poutres et fit fumer les braises.
Sigurd et Bjard se relevèrent d'un bond, furieux, et se précipitèrent sur moi.
Je courus sans m'arrêter.
Le soir, quand mon oncle Éric revint, Sigurd entra dans la salle commune vêtu comme un prince d'un large pantalon plissé, d'une tunique brodée et d'un bonnet de fourrure. Sans me regarder, il offrit à ma tante la soie, le drap de Frise et le peigne. À mon oncle il donna les dés, un poignard et des gants.
Puis nous festoyâmes, assis sur les banquettes recouvertes de fourrure, mon oncle assis sur un haut siège en bois sculpté.
Ce n'est qu'après avoir bu l'hydromel* que Sigurd s'adressa à moi :
– Harald, quand tu seras en âge de porter des armes, voici l'épée que ton père te donnera !
Et Sigurd fendit l'air avec la plus merveilleuse épée que j'aie jamais vue :
– La poignée a été décorée par un Danois, la lame vient de Cologne en Rhénanie ; nul ne pourra jamais la briser.
Puis, tout bas à mon oreille :
– Tu m'as sauvé du marteau de Bjard mais ton seau d'eau m'a hérissé le poil. Ne recommence jamais plus !
Huit jours plus tard, Sigurd me dit qu'il allait vendre ses esclaves. Je ne dis rien, mais les trois pauvres créatures ne valaient pas un mark, à mon avis.
Je courus pour le rejoindre, parmi la foule des marchands

installés de part et d'autre de la grand-rue d'Hedeby mais je me perdis. Tout à coup, déambulant au milieu des tentes, j'aperçus Sigurd parlant plus fort que les autres.

Et je fus très surpris. Comment ce vantard de Sigurd avait-il pu échanger ses trois esclaves contre les deux jeunes hommes fringants et la belle fille blonde qu'il tenait enchaînés devant lui ?

Un client arrive alors et hop ! marché conclu : six marks les deux garçons, deux marks la fille.

Sigurd rit très fort et me dit :

– J'ai fait la plus belle affaire de ma vie !

– Où sont vos esclaves et qui sont ces trois-là que je n'ai jamais vus ?

– Oh ! mais si, tu les connais bien pour leur avoir porté trois fois par jour pain, brouet fumant et quartiers de sanglier.

– Mais...

– Ce sont mes esclaves ! Et le bonhomme qui les a achetés aurait dû, comme le font les acquéreurs avisés, venir avec un médecin qui aurait constaté que mes trois serfs avaient leur chemise rembourrée, les joues rougies et le teint rafraîchi par quelque tisane, quant à la fille, j'ai décoloré ses cheveux ! Sigurd me fit un clin d'œil : « Plus blonde, plus nordique donc meilleure ménagère que les femmes du Sud ! » Et il fit tinter ses pièces d'argent dans sa bourse.

Passant devant une échoppe, il ajouta :

– Vois-tu ces cornes de narval* ? Elles valent de l'or au pays des Francs ; les seigneurs de là-bas croient qu'elles

provienennt des licornes* et que, grâce à leur pouvoir magique de dire toujours la vérité, ils ne seront jamais trompés ni empoisonnés !
– Le paysan qui vous a acheté vos esclaves aurait dû en avoir une dans sa poche ! lui dis-je.
Sigurd s'arrêta net, furieux :
– Quel drôle de Viking es-tu, toi qui jettes des seaux d'eau et des sottises à la tête des gens ?
Et il partit à si grands pas que je dus courir pour le suivre. »

Clothilde bat des mains :
– C'est un bien curieux récit que vous me contez là, messire Harald-le-Danois ! En avez-vous d'autres ?
– Point du tout ! Sauf si je retourne en mon pays où je trouverai l'inspiration...
– Ah ! Ne parlez plus de partir ! Avec qui me disputerai-je ?
– Avec vos frères, pardi ! Renaud et Guilbert !
– Ils ne savent même pas que j'existe. Ils ne songent qu'à la chasse au faucon !
Et Clothilde sort de ma cellule en claquant la porte que le garde referme au verrou.

3

Odin
accueillera mon père

Après ma pitoyable tentative pour m'évader, sire Hubert a compris qu'il faut me laisser galoper au soleil après les chevaux, et lancer des pierres dans les nuages. Bien gardé, enfermé dans l'enceinte de la cour haute du château, je passe encore deux années à lutter avec les fils d'Hubert et à courir tenant Clothilde par la main, avec ses chiens.
Un matin, j'aide Renaud à dresser un bel oiseau dans la cour quand j'entends un bruit de trompe. Le tocsin du village résonne. Les gens du château s'enfuient dans un grand affolement.
Je m'enfouis la tête dans un grand sac et je cours en tous sens. J'entends crier :
« Où est Harald-le-Viking ? Par tous les saints trouvez-le ! » Alors, comme un homme d'armes ouvre une poterne pour laisser entrer un paysan hurlant :
« Les Vikings sont là ! », je me précipite à travers l'ouverture en criant : « Sus aux Normands ! Sus aux Normands ! »

Je dévale la colline à travers la campagne. Et soudain, je les vois : trois beaux drakkars s'approchent du rivage ; parmi eux *Serpent des Mers*, le drakkar de mon père. Personne sur la plage.
Les Vikings, me voyant, lèvent leurs arcs.
Je n'ai que le temps d'ôter mon haillon et de crier :
– Je suis Harald, le fils d'Olaf-le-Noir ! Ne tuez pas celui que vous venez chercher ! Olaf-le-Noir ! Je suis ton fils Harald !
Un grand cri monte de la mer. Le *Serpent des Mers* accoste rudement sur la plage. Un homme immense saute.
Les ans ont passé sur son front et sur sa chevelure. C'est lui, je le reconnais, c'est mon père.
Je me précipite vers la mer.
Soudain, j'entends le bruit furieux d'une troupe de cavaliers :
– Harald ! Harald ! crie sire Hubert d'une voix rauque, Harald reviens ou je te tue !
Mon père me tend les bras mais le sol du pays des Francs agrippe mes chevilles. Mes pieds s'enfoncent dans le sable. Je ne peux courir plus vite. Le sifflement d'une flèche me jette à terre. J'entends mon père jurer. Je me relève, je file vers le drakkar. Les Vikings, sous une grêle de flèches, repoussent le navire à la mer. Je plonge et je nage jusqu'à atteindre le bateau.
Je suis sauvé !
Je regarde mon père.
Livide, les cheveux collés de sueur, il me sourit.
Il a reçu une flèche en pleine poitrine.

Mon père ne veut pas mourir avant d'avoir ramené son fils en sa demeure. Car je suis son fils unique depuis la mort en terre lointaine de Thorkel, mon frère aîné.

Deux autres guerriers sont blessés. Un troisième, mort, est lesté d'un vieux seau rempli de pierres et jeté à la mer après une invocation à Odin et à Aëgir, dieu de la mer.

Mon père lutte et repousse la mort pendant des jours et des nuits. Le soir de notre arrivée à la ferme d'Holmberg, des cris de joie et des lamentations jaillissent tout à la fois.

Ma mère fait taire la maisonnée et se couvre la tête d'une étoffe sombre.

Mon père s'assoit sur le haut siège de bois et devant tous il prononce ces paroles :

– Harald, mon dernier fils, je ne t'ai pas vu grandir. Mais « bon sang ne saurait mentir ». Je te laisse un lourd héritage : les deux fils d'Halfdan Barbe-Deux-Couleurs ont juré de venger leur père en te jetant une malédiction. Sois sur tes gardes, mon fils. Voici ton épée, celle que Sigurd t'a promise il y a bien longtemps. J'y ai fait graver des runes magiques pour qu'elle te protège et ne te trahisse jamais.

– Père, dis-je alors d'une voix enrouée, je l'appellerai *Fille de la Guerre* et je la garderai contre mon flanc jour après jour, nuit après nuit.

– Voici encore un harnais de cheval tout orné d'or, dit mon père, ainsi que trois chevaux, les plus beaux de mon écurie. Je te donne aussi un manteau de drap

rouge et deux boucliers de bois dur, bardés de fer et si solides que nul ne les brisera jamais. Dès ma mort, tu iras au Thing*, notre assemblée d'hommes libres, où tu seras élu comme chef.
Mon père ferme alors les yeux.
Un terrible murmure parcourt la foule qui l'entoure.
Soudain, se redressant, il tonne :
– Personne ne dira qu'Olaf-le-Noir est mort sur la paille de son lit* ! Car c'est au combat que j'ai reçu cette flèche et c'est en guerrier que je meurs, après avoir délivré mon dernier fils. Allons, je veux encore goûter l'hydromel en votre chère compagnie !
On lui tend sa corne à boire remplie de nectar et il la boit d'un trait sans la reposer.
Puis il ajoute ces mots :
– On ne saurait emporter en voyage fardeau plus précieux qu'une cargaison de bon sens.
Sa voix devient plus faible :
– Avec une cargaison d'amour, ma chère épouse, mon cher fils, le fardeau est plus léger.
Puis il murmure :
– Le loup qui dort ne trouve guère sa pâture, ni l'homme qui dort, la victoire...
Enfin, me regardant, les yeux pleins de larmes :
– Mieux vaut un fils, même s'il est né tardivement après la mort du père...
Et il meurt.
Aussitôt on lui ferme la bouche et les narines pour que son âme ne s'échappe pas.
Sans un mot, ma mère couvre ses belles nattes avec

de la cendre et rajuste son voile de la douleur avec une fibule en or.
Depuis ce jour, elle ne parle plus que par signes.

Mort dans la force de l'âge, non affaibli par la maladie ou la vieillesse, mon père sera chaudement accueilli au Walhalla par les belles Valkyries*. Il sera capable d'y mener joyeuse et valeureuse vie outre-tombe.
Le long de la rivière, on fait avancer son drakkar.
On le traîne sur des rouleaux de bois au milieu d'un champ. On le descend ensuite au fond d'une grande fosse creusée dans la terre argileuse. Je vois avec surprise que l'on amarre le drakkar par une corde attachée à une grosse pierre. Est-ce ma mère qui ne veut pas que son époux tant aimé s'éloigne d'elle ?
Puis, on remplit le bateau de toutes les choses dont mon père aurait besoin dans l'au-delà : des coffrets, des assiettes, des cornes à boire, des louches, son lit, un chariot sculpté dont on démonte les roues pour qu'il tienne moins de place. On y joint un coffre à outils.
On dépose le corps de mon père au milieu du drakkar, sur des coussins. On l'a habillé d'un manteau broché d'or.
On range à sa gauche son épée, ses éperons d'or, ses armes. On fait ensuite courir ses deux chevaux préférés, tout harnachés avant de les abattre à l'épée et de les couper en deux pour les mettre dans le bateau. On y jette quatre chiens égorgés. On place de la viande, du pain, de l'hydromel et un baquet de pommes. On recouvre le tout d'une cabane en bois sur laquelle on

entasse de la terre en grande quantité jusqu'à former une colline.
Grimm, le paysan viking blessé sur la plage, est mort. Il est enseveli avec son épée et quelques vases remplis de vivres, de noix et de pommes. Puis sur le monticule de terre sont dressées des pierres qui forment un bateau, afin que le pauvre homme puisse naviguer lui aussi jusqu'au Walhalla.
Ensuite on donne un grand festin où plus de cinq cents amis de mon père viennent manger et boire en son honneur, dire ses hauts faits et sa grande valeur guerrière. Je ne peux goûter aux mets, tant le souvenir de mon père me déchire le cœur : je le vois lever son épée sur un enfant, puis me tendre les bras avec, au milieu de la poitrine, la flèche qui m'était destinée.

C'est alors que Snorri vient près de moi et me dit :
– J'ai tant regretté de ne plus te voir, Harald ! J'ai été ton compagnon de jeu pendant notre enfance, j'ai été ton frère en pensée pendant les longues années de ton absence, je veux aujourd'hui être ton frère de sang.
– Je le veux aussi, Snorri ! dis-je en souriant.
– Nous tremperons nos mains dans le sang d'une chèvre, nous mêlerons notre propre sang et nous en nourrirons la terre retournée d'un sillon.
– Hélas ! dis-je, mon père ne pourra pas s'asseoir au banquet de notre fraternité et boire l'hydromel avec nous.
– Il y sera, affirme Snorri.

4

Brunehilde
sur mes genoux

Deux ans plus tard, j'ai vingt ans. Un jour de grand froid, Snorri vient me voir :
– L'hiver n'a jamais été aussi rude. Ajoutées aux tiennes, les terres que ton père a léguées à ton défunt frère Thorkel sont trop arides pour nourrir le clan. Le domaine est encerclé de voisins farouches et ne peut plus s'étendre. La terre est épuisée. Que faire ? Nos femmes et nos esclaves ont beaucoup d'enfants. Serons-nous obligés d'exposer les nouveau-nés et les vieillards au froid et aux loups pour nous en débarrasser ? Serons-nous obligés de voir mourir de faim les enfants ?
– Hola ! Snorri ! Oublies-tu qu'une belle expédition guerrière en pays du Sud pourrait nous apporter l'or que nous changerons en victuailles, en blé et en draps de laine ? J'ai appris, en un certain livre, l'existence d'un trésor...
– Les pays du Sud se défendent âprement aujourd'hui et organisent des résistances acharnées. Veux-tu y laisser ta vie et celle de nos amis vikings ?

– Non, Snorri, je ne le veux pas. Tu me vois bien fâché de tout cela, car je songe à fonder une famille. Le vieux Ivar Barbe-Torte est venu hier. Il était entendu que j'épouserais sa fille Brunehilde quand elle aurait seize ans. La voici devenue fort jolie et contente de vivre avec moi. Dois-je lui dire que faute d'orge au grenier et de vaches à l'étable, je dois renoncer à elle ?
– Non Harald, dit Snorri, prends Brunehilde pour femme. Cependant, je dois te dire trois choses !
Snorri saisit une fourche à deux branches qu'il casse sur son genou :
– Voilà Halfdan Barbe-Deux-Couleurs, crie Snorri jetant le tronc avec dégoût et, brandissant les deux branches restantes : et voici Ingjoël et Knut, ses deux fils, qui ont juré de le venger. Ils veulent te détruire, Harald.
Un frisson me saisit au souvenir d'Halfdan.
– La seconde chose à m'apprendre Snorri ?
– Ingjoël-le-Rouge a jeté les yeux sur ta Brunehilde. C'est Egill qui me l'a dit ce matin. Ingjoël est un violent entouré d'une bande de pillards. Un jour de beuverie, lui et Knut, son frère, trop soûls pour régler entre eux un différend, ont fait se battre deux esclaves juste pour s'éviter la peine de le faire eux-mêmes.
– La troisième chose à me dire, Snorri ?
– Un marchand d'Hedeby m'a dit qu'en un pays situé au-delà des mers, vers l'ouest, des terres verdoyantes étaient à ceux qui venaient les prendre !
– Comment s'appelle ce pays ?
– Le pays de la glace, mais l'été, l'herbe y croît en abondance et la terre est vierge. C'est l'Islande.

– Dès demain, dis-je, je commence les préparatifs de mon mariage et la construction d'un drakkar ; puis j'irai en Islande avec Brunehilde y moissonner et y traire nos vaches.
– Tu ne partiras pas seul, Harald, car j'irai avec toi !

Quelques semaines plus tard, j'épouse Brunehilde.
Malgré la disette, j'ai abattu nombre de bêtes d'étable, j'ai chassé et pêché. Tous nos amis sont présents ce jour-là. Les tables basses regorgent de quartiers de bœufs bouillis ou rôtis, de cuisses de sanglier, de poissons fumés, de galettes de froment et aussi de volailles et de pain blanc. Le fromage, le lait caillé, le beurre abondent. On boit la cervoise* à pleins tonnelets et le vin du Rhin dans les cornes ; le miel, les pommes, les airelles et l'hydromel, la liqueur des dieux, ne manquent pas non plus. Assis par terre sur des fourrures ou des nattes de jonc, tous festoient, vantant leurs prouesses, et content des histoires cocasses où l'on se moque des lâches et des vaincus.
Brunehilde et moi sommes assis sur le haut siège de la demeure et avons droit au meilleur. Ma mère Gudrun, mon oncle Éric Barbe-Longue et mes soeurs sont assis près de nous. Snorri et sa jolie femme Vigdis viennent ensuite avec tous ceux du clan. Déjà ivres, plusieurs compagnons ont roulé sur le sol. D'autres s'empoignent. Une joie rude et gaillarde brille dans tous les yeux. Le scalde* récite saga* après saga et accorde sa lyre pour chanter les poèmes des dieux.

Les yeux de Brunehilde ne quittent pas les miens. Soudain, la porte vole en éclats et un homme énorme aux cheveux roux surgit.
– Harald ! Prends garde ! crie Snorri. C'est l'une des deux branches de la fourche en chair et en os !
Abasourdi, je ne comprends pas tout de suite.
L'homme éclate d'un rire féroce :
– Harald-le-Couard ! hurle-t-il, Harald Fosse-à-Grains ! Fils de tueur et voleur de femme ! Tu m'as devancé à ce que j'apprends ? Brunehilde est ta femme depuis ce matin. Elle peut pleurer. Elle sera ta veuve ce soir ! Allez ! Tas d'ivrognes ! Laissez passer Ingjoël-le-Rouge !
Il enjambe à pas immenses la moitié de la salle.
Je sens monter en moi une fureur démente.
Cet homme n'a aucun droit sur Brunehilde et son irruption chez moi, le jour de mes noces, est un affront insupportable. Je saisis mon épée *Fille de la Guerre* et, sans un mot, je charge le fou furieux.
– À moi, Knut ! crie Ingjoël.
Aussitôt, un second homme aussi roux et terrifiant qu'Ingjoël se précipite sur moi.
Je vois double me dis-je, j'ai bu trop d'hydromel !
– C'est la deuxième branche de la fourche ! hurle Snorri tout en bataillant avec les brigands entrés avec Knut.
Les deux hommes m'attaquent avec furie. Je porte des coups terribles à droite, à gauche. Snorri se dresse à mes côtés, l'épée haute. Ceux de mon clan ferraillent avec ardeur.
Je vois ma mère et ses femmes emmener Brunehilde.
Les coups s'abattent serrés comme la grêle et le sang

se mêle au vin. Je poursuis Ingjoël qui saute de table en table. Soudain il glisse sur un plat, roule au milieu d'un tas de pommes et son épée se plante dans une motte de beurre. Je saute sur lui, je lève mon épée ; mais je n'ai pas vu sa main saisir son poignard et une violente douleur me traverse le bras.
C'est alors que l'un des miens, Ragnar, se précipite et transperce Ingjoël de part en part.
Je me retourne, Knut me foudroie et son hurlement est celui d'une bête :
– Harald ! Sois maudit ! Il ne t'a pas suffi que ton père tue le mien ! Tu viens de tuer mon frère !
Je n'ai pas le temps de le détromper.
Snorri, rugissant, lève son épée sur lui :
– Tu l'as bien cherché, et ton frère aussi !
– Arrête Snorri ! Je ne veux plus de massacre en ma demeure.
Snorri, surpris, se tourne vers moi. Knut en profite. Il se rue sur la porte criant à ses hommes, éclopés :
– Fuyons, mes gaillards ! Ils n'étaient pas assez soûls !
La troupe s'enfuit dans un tonnerre de vociférations ; mais j'ai pu entendre la voix de Knut :
– Je te poursuivrai toute ma vie, Harald Fosse-à-Purin et je te tuerai toi, ta stupide femme et tous tes descendants !

Depuis, Brunehilde me bouscule dans sa hâte de partir pour l'Islande.
J'ai dû me rendre à un jugement au Thing d'Hedeby car Knut exigeait réparation pour la mort de son frère. Je ne pus prouver mon innocence, Ragnar ayant été occis

juste après avoir tué Ingjoël. Knut demanda mon bannissement avec interdiction pour tous les Danois de me nourrir et de m'aider en quoi que ce soit ; mais les cinquante convives de ma noce furent mes meilleurs soutiens pour défendre ma cause. J'ai dû payer une forte indemnité à Knut pour le prix de la conciliation. Cette somme me fit défaut pour préparer mon voyage. Je n'en activais pas moins la construction de mon drakkar. Snorri prit modèle sur le mien pour faire construire son navire qu'il nomma *Cheval Écumant*.
Toute la journée et même la nuit, à la lumière des torches, les maillets des menuisiers résonnent. La coque se termine. Deux têtes de dragons terrifiantes prennent vie sous le ciseau des sculpteurs. Elles orneront mon drakkar *Grand Dragon Rouge*.
En quinze jours, les deux magnifiques navires sont terminés. Je donne alors des ordres afin qu'ils soient chargés de tout ce qui nous sera utile pour notre établissement en Islande.
La veille du départ, je demande au vieux Thorsten de dormir à bord avec sa trompe pour m'avertir en cas d'alerte. À la fois heureux et pleins d'appréhension, nous nous endormons sous les tentes dressées sur la rive.
Dès l'aube, je sens qu'un évènement étrange est arrivé car j'ai vu, en rêve, Knut rire, danser et emplir ses poches de sable. Soudain, un long cri me dresse hors du lit. Je cours aux drakkars et je trouve à mes pieds le corps de Thorsten, assommé et jeté par-dessus bord. Je me hisse dans le navire.
Tout est saccagé. Les tonneaux éventrés mélangent

leur farine aux harengs fumés. Deux coffres de nage* sont cassés à coups de hache. Les louches en bois, les écuelles et les chaudrons en stéatite* sont éparpillés avec les outils du coffre de charpentier.
J'appelle Snorri, Brunehilde, tous nos amis et Gudrun qui était là pour assister à notre départ.
Nous sommes consternés. Snorri court inspecter son drakkar qui est intact.
– Je t'avais pourtant dit de te méfier de Knut, crie-t-il en revenant fou de rage. C'est lui ! Il est devenu assez fou pour se conduire aujourd'hui tel un bersek* déchaîné ! Demain, Knut sèmera la mort dans ta maisonnée !
Snorri court d'un bord à l'autre du drakkar :
– Harald ! Pourquoi m'as-tu empêché d'embrocher Knut le jour de tes noces ? Je lui aurais passé l'envie de voler tes chaudrons !
Il donne de tels coups de pied qu'il démolit le dernier seau en bois qui tenait bon.
Brunehilde, aidée de Gudrun, fait le compte des choses brisées ou disparues.
Les bandits ont pris une des deux crémaillères et trois boucliers ainsi qu'un des chaudrons en fer ; mais ils ont laissé le trépied pliant auquel on accroche la marmite. Six outres d'eau ont été crevées.
– Heureusement, dit Brunehilde, que nous n'avions pas encore chargé les victuailles fraîches. Qu'aurions-nous fait si poules, galettes, lait aigri, bière, pommes sauvages et airelles avaient disparu ! Nous n'aurions pu les remplacer ! Et, par miracle, nous n'avions pas monté à bord les grands sacs de peau qui renferment les armes

et qui nous servent de couchettes !
Tous et toutes s'affairent à remettre de l'ordre sur le drakkar. Je ne comprends pas pourquoi Knut, si c'est lui qui a fait ce ravage, n'a pas endommagé le bateau de Snorri ni mis le feu au mien. Sans doute Thorsten l'a-t-il surpris. Ancres, cordages, voiles, lignes de pêche, hameçons et harpons sont piétinés et embrouillés.
Nous estimons qu'il faudra trois bons jours pour remettre tout en état. Est-ce cela que veut Knut ?
Nous décidons qu'en deux jours tout doit être prêt.
Nous passons deux nuits à travailler et à veiller sur le navire.
Rien de fâcheux ne se produit.
Le matin de notre départ, nous apportons les victuailles, les grands sacs de peau, les vêtements chauds en fourrure mis dans des coffres. Deux lits en bois, quatre ou cinq tentes et le haut siège sculpté de la maison sont démontés et placés à bord ainsi qu'un chaudron de tourbe en combustion pour avoir toujours une source de chaleur. Les tonneaux de viande salée et fumée, porc, bœuf, renne, sont amarrés avec les tonneaux de grains, orge, seigle, avoine et pois. Les femmes en feront de la farine pour le pain et les galettes, en les écrasant à la main sur des pierres plates.

5

Une tempête effroyable

Quand le soleil est haut dans le ciel, le knar, piloté par le vieux Svend, un marin expérimenté, s'éloigne déjà. Il est chargé de provisions et du gros bétail : deux vaches, un taurillon et trois poneys que nous avions eu bien du mal à faire monter à bord, à l'aide d'une passerelle.
Les deux drakkars, *Cheval Écumant* et *Grand Dragon Rouge*, sont prêts à prendre le large. Le premier avec, à son bord, vingt-huit hommes de mon clan, leurs femmes et enfants, Snorri, ses jeunes frères, et Vigdis, son épouse. Le second aussi lourdement chargé, avec trente-deux hommes de mon clan, six femmes et neuf enfants, Brunehilde et moi.
Ma mère, la haute Gudrun, debout sur le rivage, nous salue de la main, le visage baigné de larmes.
Nous venons à peine de quitter le rivage à la force des rames que la mer gonfle soudain et le vent soulève d'énormes gerbes d'eau.
Alors ma mère invoque Aëgir, dieu des mers, afin de

protéger notre expédition. Elle se tient droite, muette, les mains levées face à la mer, les vêtements claquant dans le vent.
Peu à peu, la mer rugissante se calme. Le vent faiblit. C'est ainsi que ma mère obtient du grand Aëgir, un répit. Elle nous fait signe que tout ira bien.
Nous appuyons sur les avirons et d'un puissant effort, nous nous éloignons.
Des cris vociférants nous arrêtent, les rames levées. Une troupe galope sur le sable. C'est Knut ! Revenu en force avec ses brigands !
Des injures nous parviennent :
– Tu m'as encore gagné de vitesse Harald, mais tu te souviendras de moi ! Tu vas périr en mer avec ton drakkar sous les vagues profondes du lit de Ran*. Vous mourrez tous !
Snorri décoche quelques flèches qui se perdent dans les nuées.
De rage, Knut se rue sur les femmes qui, prises de peur, se serrent autour de ma mère.
J'ordonne de faire demi-tour.
Grimpée sur un rocher, une fourche à la main, les cheveux épars, ma mère pousse des sons étranges, inhumains, incompréhensibles.
Knut fait cabrer son cheval et s'arrête net.
Ma mère hurle des sentences de mort. Elle paraît si terrifiante, telle une déesse jaillie de la mer, que Knut se détourne d'elle violemment, emballe son cheval et s'enfuit.
J'entends la voix étrange s'élever à nouveau :

– Va ! Harald Olafson* ! Va, mon fils ! Knut ne reviendra plus sur les terres d'Holmberg !
Et Gudrun nous tourne le dos.
J'ordonne que la voile soit hissée. Main sur le gouvernail, je quitte la côte danoise. Bientôt, Holmberg n'est plus qu'un souvenir, mais chacun entend encore en son coeur les terribles paroles de Knut et l'étrange écho de la voix de Gudrun.
Les mains en porte-voix, Snorri me crie :
– Ta mère a-t-elle des pouvoirs magiques ?
– Cela se peut ! Je n'en sais rien ! Puisse-t-elle nous protéger durablement !
– Elle le fera ! Sois-en sûr !
Son *Cheval Écumant* file à toute allure alors que *Grand Dragon Rouge* peine à trouver sa voie.
Je m'aperçois alors qu'ils vont droit au sud, bien que notre route pour atteindre l'Irlande, la première étape, soit à l'ouest !
C'est un Snorri minuscule, que je vois enfin se précipiter sur son pilote et lui faire corriger le cap.
Nous avons bien ri, à bord du *Grand Dragon Rouge*.
Ivar, mon pilote, hoche la tête. Il sait que Naerme, le pilote de Snorri, est un débutant.

Ivar, "l'homme qui sait", peut nous citer par cœur les îles, les étoiles, les vents ainsi que le sens des courants à la couleur de la mer et au vol des oiseaux. Ainsi peut-il guider un bateau même par temps couvert ! Le vent est bon, la voile solide, nous filons sur le dos des vagues ; mais la mer est capricieuse et le bateau avec

ses bordages cousus crache son étoupe* et prend l'eau. Nous sommes huit hommes à boucher les trous et à écoper sans cesse.
Notre nourriture est froide : galette, viande fumée et lait caillé ; nous réchauffons un peu de boisson dans une louche posée sur la tourbe brûlante, dans son chaudron bien protégé. Nous dormons dans nos sacs de couchage, deux à deux, sur le pont mouillé, dans le froid glacial de la nuit.
Il nous faut ramer souvent quand le vent est contraire. Les lames brisent nos rames et jettent les hommes les uns sur les autres, les blessant.
Les femmes et les enfants, blottis sous des toiles tendues, ne sont pas mieux lotis. Ils ne disent mot et roulent des yeux effarés. Les chèvres bêlent et les poules piaillent dans leurs cages.
Le matin du quatrième jour, nous n'avons encore touché aucune terre.
De Snorri, point de nouvelles.
Le lendemain soir, la tempête se lève.
Aëgir, dieu de la mer, nous envoie du fond de l'abîme tous ses démons que nous combattons pied à pied.
La voile est abaissée, le mât couché ; les hommes écopent sans relâche, d'autres tendent des peaux pour protéger les femmes, les enfants et les biens. Personne ne tient debout.
Soudain, une vague immense balaye le pont et emporte trois tonneaux et deux cages à poules. Aucun homme n'est enlevé, fort heureusement. Mais des bruits étranges, qui dominent le vacarme du vent, nous glacent d'effroi.

Des râles profonds comme des sons de trompe, des mugissements d'épouvante. Nous sommes à plat-ventre sous le plat-bord pour nous protéger et ne voyons rien. Est-ce Ran, l'effrayante épouse d'Aëgir et ses filles, les plus cruelles des vagues, qui, dans leur colère, nous lancent leurs malédictions ?
Je hisse ma tête. Agrippé au bastingage, je clame en hurlant un poème pour apaiser Aëgir. J'entends Svanur, le vieux qui sait parler aux divinités, haranguer Thor et Odin.
Toute la nuit, la terrible Ran mugit dans nos oreilles tandis que le bateau fuit, dérivant dangereusement.
Au matin, tout se calme. Une brume épaisse nous cache le soleil.
Et tout à coup :
– Ho ! Ho ! Harald ! Est-ce toi ?
Une voix humaine domine les clameurs des dieux.
– Ho ! Ho ! Snorri ! Es-tu là ? criai-je.
– Non ! hurle la voix, nous sommes Svend et Björn, les hommes du knar ! Le taurillon a été fou de panique toute la nuit, il a meuglé et a fait beaucoup de bruit et de dégâts. On l'a ligoté serré.
Je ne peux réprimer un grand rire au souvenir de notre frayeur de la nuit.
– Et le drakkar de Snorri ?
– Pas de Snorri en vue, dis-je.

Je me fais de lourds reproches. Snorri a embarqué un équipage très jeune, avec ses frères et le pilote Naerme, peu sûr de lui.

La brume n'arrange rien. Dans quelle direction mettre le cap pour atteindre l'Irlande, escale obligée avant l'Islande, me dit Ivar qui hume le vent, tourne sur lui-même et hoche la tête.
Nous sommes perdus.
Alors je vois Ivar ouvrir une sacoche au fond de son coffre de nage et en sortir une pierre jaunâtre comme une précieuse relique :
– La pierre solaire.
Il la promène aux quatre coins de l'horizon devant ses yeux. Soudain, elle devient bleue* !
– Elle est passée devant le soleil ! crie Ivar. Il nous faut naviguer beaucoup plus au nord-est pour retrouver notre route ! Allons Vikings ! Dans deux jours nous verrons les oiseaux de terre frôler notre mât !
– Pourquoi Snorri n'a-t-il pas cette merveille à son bord ?
– Je lui en ai donné une, dit Ivar.
– Snorri est mort, crie une voix de femme. Knut l'a maudit avec toi !
Brunehilde, pâle, trempée, ses beaux cheveux dénoués comme de l'or liquide sur ses épaules, poursuit, le doigt pointé sur moi :
– Vigdis l'a su, bien avant notre départ ! La vieille aveugle Yngvildur a vu Snorri flotter au fond des eaux glacées !
– Racontars ! Comment toi, Brunehilde, peux-tu croire des sottises pareilles ! Va te reposer et ne répands pas ces idées noires parmi nos femmes ; Gudrun nous protège, elle l'a dit. Nous trouverons toujours un rivage pour aborder et Inga nous cuira un bon ragoût !

Deux jours plus tard, nous apercevons une ligne sombre à l'horizon : c'est l'Irlande ! Mais nulle trace du drakkar de Snorri !
Nous abordons sur une plage en pente douce où nous traînons le navire au sec sur des rouleaux.
Pour le knar, c'est plus difficile. Nous détachons d'abord les trois poneys rassemblés à tribord.
Leur poids ayant fait pencher le bateau, ils peuvent ainsi sauter sur le sable.
Les deux vaches suivent, plus maladroitement.
Quant au débarquement du taurillon, c'est un désastre ! Libéré de ses entraves, il fonce front baissé contre le mât puis, ébranlé par le choc, il se rue sur les coffres qu'il écrase. Il ne cesse son manège qu'en sautant sur la plage où il galope en rond sans s'arrêter.
Svanur nous assure que c'est un excellent présage.
Nous installons le camp au creux d'un petit vallon, à l'abri des vents. Brunehilde et les femmes rêvent d'un bon chaudron de soupe et de viande ; les petits veulent se rouler dans l'herbe, cueillir des baies ; les hommes, eux, n'ont qu'une envie : étendre leurs membres rompus de fatigue sur des fourrures jetées sur une litière de goémon bien sec.
Malgré mon épuisement, je pars fouiller les environs à la recherche du drakkar de Snorri ou d'épaves flottantes. Je ne vois rien. Je reviens le cœur lourd.
Svend et Thorgad jettent sur des mottes de tourbe en fusion de petites brindilles gardées au sec dans un sac de peau pour allumer un bon feu. Brunehilde suspend le chaudron à la boucle du trépied déplié. Inga y met

de la viande. On peut ainsi manger chaud et boire du bouillon. Nous nous glissons sous les tentes après avoir fait sécher vêtements et sacs de couchage ; mais au lieu de rire et de chanter, une lourde angoisse pèse sur nos cœurs. Snorri et les siens se sont-ils noyés avec le *Cheval Écumant* et gisent-ils au fond de la mer ?
Le lendemain, le feu est ranimé. Les femmes écrasent le seigle, pétrissent la pâte et font cuire les galettes sur des poêles rondes ; d'autres cueillent des plantes et remplissent d'eau les outres. Les hommes s'affairent à réparer le drakkar.
Avec de longues lanières d'écorce de tilleul et des racines de pins, nous resserrons les bordages de la coque.
Avec des poils de vache et de poney tressés comme étoupe, nous calfatons* mais, comme il en manque, nous mettons des algues sèches.
Nous façonnons cinq avirons, quatre taquets et deux écopes dans du bois trouvé sur la terre d'Irlande.

Le lendemain, vers midi, nous faisons un grand bruit avec nos masses pour aplatir le calfatage quand, entre deux coups, je crois entendre crier mon nom.
Je grimpe sur le haut d'une butte.
Et je vois un grand diable de garçon sautant et riant dans le vent et une fille blonde courant vers moi en pleurant de joie : Snorri et Vigdis !
Je crie :
– Snorri est vivant ! Il est là !
Je cours me jeter dans les bras de mes amis.

C'est devant un souper de roi - galettes croustillantes, volailles rôties et cervoise - que Snorri nous conte comment, perdu dans la brume, il subit la tempête. C'est alors qu'il se rappela qu'Ivar lui avait donné une pierre solaire. Aussitôt, il prit le bon cap et aborda la côte d'Irlande, à la nuit tombée, persuadé que nous avions sombré corps et biens.
Le matin, Vigdis, allant chercher de l'eau au ruisseau, vit notre taurillon, buvant paisiblement sur la berge. Grimpant sur un rocher, elle aperçut une fumée s'élever droit dans le ciel. Elle appela Snorri, qui accourut. Leur fol espoir se changea en certitude quand ils me virent surgir, mon marteau à la main.
Nous halons le drakkar de Snorri, meurtri lui aussi, sur la berge où l'atelier de réparation du *Grand Dragon Rouge* retentit de coups vigoureux, de rires et de chants.
Snorri a perdu dans la tourmente quatre jeunes esclaves, plus de la moitié de ses tonneaux de céréales et de viande séchée et des coffres à outils. Aussi projette-t-il, avec ses jeunes frères, une expédition dans l'arrière-pays.
Nous n'avons rencontré, en ces lieux, ni bête ni homme. Pourtant, nous savons que de nombreux moines vivent là, emplissant leurs greniers de blé et d'orge, leurs étables de bétail et leurs églises d'or.
Un matin, à l'aube, les navires étant prêts, les provisions d'eau et de baies fraîches renouvelées, les sacs bourrés de galettes cuites, Snorri vient me voir :
– Je pars seul. J'irai aborder plus au nord de l'Irlande, près d'Inscah où s'élève un riche monastère. Je te

rejoindrai plus tard aux îles Hébrides... à moins que tu ne veuilles te joindre à moi pour lier nos forces et rapporter une fortune !
– Va Snorri. Mon bateau est lourdement chargé, je n'ai besoin ni d'esclaves ni d'or. Je t'attendrai trois jours aux Hébrides. Après, je partirai pour l'Islande car l'été s'annonce et il faudra s'établir dans ce "pays des glaces" bien avant l'hiver.

Je n'ai attendu Snorri qu'une journée aux îles Hébrides, tant son raid a été rapide et efficace : six jeunes gaillards, trois filles, du blé, des quartiers de porc fumé et une bonne poignée d'or et des ornements précieux. Il n'a même pas eu à sortir son épée. Les moines étaient aux champs, le mur d'enceinte, vétuste, et les portes faciles à enfoncer à coups de hache !
Nous atteignons bientôt les îles Féroé, énormes parois sans arbres surgissant de la mer, et nous mettons le cap sur le nord.

6

Le Domaine de la Rivière Blanche

Notre voyage est terrible ; plus nous voguons vers le nord, plus le vent devient glacial. Écoper la neige et les glaçons nous fige le sang dans le cœur.
En arrivant en vue des côtes d'Islande, nous apercevons d'énormes poissons se faufiler sous l'eau et jaillir en d'immenses gerbes. Svanur nous dit que ce sont des mammifères marins et que, sans nul doute, c'est un signe de prospérité à la mesure de ces géants des mers.
– Où devons-nous aborder ? demande Ivar, le pilote.
– La terre, ici, est à celui qui la prend, dis-je.
– Savez-vous comment Ingolf, le premier qui approcha ces côtes, choisit son lieu de débarquement ? nous demande le vieux Svanur.
– Ma foi non !
– Ingolf jeta à la mer les montants du haut siège de sa maison et, là où ils échouèrent, il construisit sa nouvelle demeure.
– Je ne suis plus le premier viking à venir en Islande, dis-je apercevant au loin une fumée. Beaucoup de

Norvégiens y sont déjà établis. Remontons vers le nord. Nous trouverons bien des terres libres !

À mon tour, je jette à la mer, liés ensemble, les hauts montants du siège où mon père avait rendu l'âme. Nous les regardons filer vers le grand large quand soudain, un phoque, du bout de son museau, les ramène vers un courant favorable. Deux jours plus tard, ils s'échouent sur une rive.

Une baie poissonneuse immense s'étale avec des criques pour abriter les drakkars et des îlots où piaillent d'innombrables oiseaux de mer ; des vallons s'enfoncent dans des collines boisées de bouleaux et couvertes de prairies. Des rivières courent partout. Une montagne nous protège du vent du nord.

C'est là que nous avons établi nos fermes et où nous avons commencé à élever du bétail.

Snorri a su se débrouiller pour avoir un plus grand domaine que le mien.

Voici comment : selon l'antique coutume, nous avons allumé à l'aube un feu bien fumant ; puis, avec toute la famille, nous avons couru dans des directions différentes jusqu'à ce qu'on ne voie plus le premier feu et nous en avons allumé un second ; puis un troisième et ce jusqu'au coucher du soleil.

Le soleil ne se couchant pas en ce pays, et Snorri ayant fait courir ses jeunes frères et ses esclaves beaucoup plus lestes que mes gens, il s'octroya ainsi un territoire immense qu'il appela "Le Domaine des six Collines de Snorri". Le mien, plus modeste, fut appelé : "Le Domaine de la Rivière Blanche d'Harald".

Ce jour-là, nous construisons une maison pour les esclaves. Nous avons amassé du bois flotté, échoué sur la plage, et de la tourbe. Le sol est battu et les murs de pierre sont érigés en double épaisseur avec de la tourbe tassée à l'intérieur. Nous posons des mottes de terre pour recouvrir la charpente. Nos maisons ressemblent ainsi à de petites collines où pousse du gazon. Soudain, nous voyons surgir de la lande un homme barbu, chevelu, vêtu d'une robe loqueteuse, et brandissant une croix en or.
Juché sur un rocher, ne sentant ni le vent ni le froid, il prêche longtemps, parlant de nos dieux comme des démons haïssables, de nous comme d'horribles païens et de son dieu comme d'un sauveur.
– À genoux ! crie l'ermite. Avec ma croix, je vous apporte la rédemption de vos pêchés !
– À genoux ! Jamais ! hurle Svend, le vieux pilote.
– Par Thor ! Quels pêchés ? bougonne Björn qui, faisant claquer sa langue, saisit la croix en or et la brandit en hurlant :
– Elle vaut bien quarante öres d'argent* ! Je la propose à dix öres ! Douze ! Qui la veut ?
– Vingt öres ! clame Ivar.
– Trois marks et cinq öres, assène Éric.
– Adjugé !
Dépossédé de sa croix, l'homme s'arrache les cheveux et s'enfuit.
– Je ne serais pas surpris que cet ermite soit irlandais, dis-je alors, et qu'il ne quitte un jour son île pour évangéliser les populations du continent comme le

firent nombre de saints téméraires, il y a longtemps. Le chapelain de Franmontel me racontait leurs exploits sans réussir à me convertir car je ne jurais que par Thor et par Odin ! Ce qui amusait beaucoup Clothilde !
– Clothilde ? demande vivement Brunehilde.
– Heu... c'est une petite personne impertinente... ajoutai-je très vite. Mes amis, il n'est pas bon que seuls les hommes et les bêtes aient un abri dans ce pays rude. Nous construirons un temple pour abriter nos dieux.
– Où donc ? demande Éric qui avait déboursé trente-cinq öres d'argent, toute sa fortune, pour une croix d'or dont il ne savait que faire à présent !
– Sur le rocher où ce pauvre homme s'est donné tant de mal pour rien ! dit Snorri.
Nous y avons élevé un temple : un auvent rustique où s'entassent bientôt les statues de nos idoles. C'est Svanur le vieux, familier des dieux, qui sculpte dans des rondins de bois d'effrayantes figures que nous honorons avec de modestes offrandes : quelques pommes, une coupe de cervoise, des rubans de laine colorée.

Le temps s'écoule. On fauche l'herbe pour le foin de l'hiver. On bâtit des étables pour le bétail, les chèvres et les moutons que nous avons capturés, et des abris pour les chiens de traîneau. On fait des chemins de rondins et des murets de protection contre le vent. On chasse beaucoup, on pêche le morse dont on utilise la peau, la graisse, les défenses. On

ramasse les œufs d'oiseaux et les plumes.
On se hâte avant l'arrivée du terrible hiver boréal, obscur, interminable.

Un mois et vingt-neuf jours sans voir le soleil ! Deux mois que nous vivons, hommes, femmes, enfants et chiens, blottis dans les longues maisons de terre, auprès d'un feu de tourbe ou de bouses séchées. Nous nous y ennuyons fort.
Je sonne de la trompe pour égayer nos journées mais, de l'avis de tous, je suis meilleur conteur que musicien. Alors je récite des vers en latin, appris en Neustrie quand j'étais enfant. On me prie plutôt de réciter quelque saga interminable exaltant les expéditions étranges des hommes et les exploits des dieux.
Brunehilde et ses femmes cardent, filent la laine et cousent des vêtements de fourrure.
Les hommes taillent des outils dans le bois qu'ils ont ramassé sur les plages et sculptent des cuillères et des ornements.
Quant à mijoter des ragoûts, il n'en est plus question ! Nous n'avons à manger que du foie et des œufs de poisson, du gruau d'orge, du pain fait de farine de pois, ou pire, d'écorce de sapin. Nous fabriquons une sorte de bière avec des feuilles de frêne et la saveur de la cervoise et de l'hydromel n'est plus qu'un souvenir.

Un soir, ou un jour - peu importe, la nuit couvrant toute chose sur la terre - nous avons mouché la lampe, mis la cendre sur les braises et nous nous

sommes couchés sous les fourrures quand un coup sourd ébranle la porte.
Est-ce Snorri ? Je me lève et tire le verrou. À mes pieds, deux tas sombres gisent sur le seuil. De ces amas informes sortent des geignements. Je pose la main à tâtons... Je sens une fourrure. S'agit-il de bêtes ou d'hommes ?
– Brunehilde ! Allume la lampe, par Odin ! Je n'y vois pas plus que dans la gueule d'un dragon !
J'entends Brunehilde se précipiter :
– Harald ! La lampe ne s'allume pas ! L'huile de poisson manque, le briquet refuse de faire des étincelles, la mèche de mousse est trop courte !
– Prends un tison !
Je pousse du pied l'une des masses inertes :
– Allons, dehors ! Nous ne logeons ni les ours ni les démons !
À ce moment, je sens mes jambes prises dans une mâchoire énorme.
– À moi ! C'est le loup Fenrir* !
L'étau se resserre.
– Brunehilde ! Mon épée !
J'entends ma pauvre femme se cogner partout. Une lueur traverse la nuit. C'est le reflet d'un tison sur la lame de mon arme qu'elle me fourre dans la main.
– Tu vas mourir, démon ! Je lève mon glaive.
– Par Thor ! Qu'est ceci ?
La mâchoire se desserre, ou plutôt l'étreinte de deux bras durs comme fer, et le loup ou plutôt l'homme se met à crier :

– Holà ! Ne nous tuez pas, Viking à la fière allure ! Nous ne sommes que de pauvres hommes chassés par le froid et la faim !
La masse s'effondre sur ces mots.
– Brunehilde ! criai-je, débrouille-toi, mais allume la lampe. Cette voix, je la connais !
Je traîne à grand-peine l'homme vers le feu qu'une poignée de brindilles a ranimé. L'homme ouvre les yeux, j'écarte la fourrure de son visage. C'est Sigurd, le grand Russe ! L'ami de mon père, celui qui m'avait tant diverti sur le marché d'Hedeby.
– Harald ! Quelle joie de te revoir ! s'écrie Sigurd. Il m'avait bien semblé reconnaître l'épée. Vite, va chercher mon compagnon. Il se meurt. Je l'ai porté sur mon dos depuis la crique du Mont Soleil jusqu'ici.
Je vais chercher le second naufragé de la nuit et je l'assois près du feu. Un fois réchauffé et ragaillardi d'un bol de gruau et d'une lampée de bière, Sigurd nous raconte son histoire : le marchand russe avait suivi Gunnar, un autre marchand, à travers les mers arctiques pour atteindre le nord de la Norvège.
– Nous devions y faire le commerce des peaux d'ours blancs, de l'huile de phoque et de défenses de narval. En échange, nous leur apportions des outils en fer, du blé et des objets façonnés car les gens de ce pays n'ont ni fer, ni bois.
Sigurd boit une gorgée, grimace :
– Par Odin, cette bière est infecte ! et reprend son récit : nous arrivâmes le jour où tout un clan chassait la baleine. D'habitude, ces hommes cernent l'animal, le

forcent à s'échouer sur la rive, l'assomment et le dépècent.
Mais la capture de cette baleine leur donnait bien du mal ! Elle était maligne et pas décidée à se laisser prendre. Quand ils aperçurent notre solide knar entrer dans la baie, ils nous demandèrent de l'aide. La bestiole était monstrueuse. Soudain, comme nous l'avions coincée près du rivage, elle disparut et reparut… sous notre knar.
Nous avons volé dans les airs et nous sommes retombés sur la banquise. Notre cargaison était perdue, nos hommes noyés, notre knar en miettes. Nous avons été soignés par ces gens, puis nous nous sommes faits chasseurs de rennes ; nous les capturions vivants grâce à un ou deux rennes apprivoisés qui servaient d'appât en bramant pour attirer leurs frères sauvages, et nous revendions nos prises à des paysans qui en avaient de grands troupeaux. À la fin, nous avons pu armer un vieux knar et nous avons fait route vers Holmberg où j'ai un dépôt de marchandises et où j'espérais saluer ta mère.
Hélas ! Tempêtes, vents contraires, avaries du bateau, voilà quel fut notre sort. Nous avons échoué par miracle sur votre côte d'Islande. Là, un vieux qui pêchait dans un trou fait dans la glace nous a indiqué vos terres mais sans me dire ton nom, Harald ; nous avons marché, marché dans cette tourmente crépusculaire et glacée jusqu'à ce nous voyions votre lumière.
Elle s'est éteinte quand nous avons atteint le seuil, épuisés, affamés, désespérés. Vous savez le reste !

– Passe l'hiver avec nous, grand Sigurd ! Ce serait folie de repartir avant que neige, glace et brume ne fondent.
– Hum ! Combien êtes-vous dans cette hutte de terre ? Trois, huit, dix, sans les enfants, grommelle Sigurd. Je prends de la place. Il va te falloir déloger quelqu'un si tu veux me recevoir dignement !
– Je n'en ferai rien ! Voici Brunehilde, mon épouse, et voici mes gens.
– Brunehilde ? La belle qu'Ingjoël-le-Rouge aima passionnément ?
Brunehilde, épouvantée, se blottit sur la banquette.
– Tu as connu Ingjoël ?
– Ce fut un compagnon de route, sans plus. Un homme fruste et violent. Il ne parlait que de cette fille vue en pays danois lors d'une réunion du Thing et il en était fou. J'eus beau lui dire qu'elle était promise, il s'en moquait bien. Quand je lui appris que son fiancé était Harald Olafson, il entra alors dans une rage meurtrière. Il jeta à terre un pauvre homme qui obstruait le passage du gué avec sa charrette et, à coups de hache, il démolit les pierres dressées et gravées de belles runes qui signalaient le meilleur passage sur la rivière. Que lui as-tu fait, Harald ?
– Rien. Je suis le fils d'Olaf-le-Noir et l'époux de Brunehilde, c'est suffisant pour attiser sa haine. C'est pourquoi je suis venu protéger ma maisonnée ici, dans ce triste pays des glaces à ne boire que des glaçons fondus et à manger du pain d'écorce.
– Eh bien ! Ça promet d'être gai ! ronchonne Sigurd en s'étalant sur la paillasse. Et il s'endort aussitôt.

Je regarde Brunehilde. Je vois, à son expression figée, qu'elle déteste Sigurd.

Tous les soirs, Sigurd entreprend de nous glacer les sangs en nous contant la saga terrifiante du clan d'Halfdan Barbe-Deux-Couleurs :
– Écoutez, voici l'histoire d'Ingjoël et de Knut, les fils de feu Halfdan. Ils sont nés le même jour, d'une terrible mère nommée Raenna. Elle était très belle, très grande et redoutable. Elle n'avait pas cinq ans quand elle dénonça un esclave pour avoir volé du fromage. L'homme fut fouetté. On retrouva les tranches de fromage, à leur odeur pestilentielle, cachées sous la paillasse du petit lit de la fillette. La mère de Raenna en mourut de honte. Là-dessus, allons dormir, braves gens !
Le lendemain, Brunehilde me dit qu'elle n'écouterait pas un mot de plus de la saga d'Halfdan.
Bien qu'elle soit allée se cacher tout au fond de la demeure, elle entend la grosse voix de Sigurd emplir l'espace jusqu'à l'autre bout de l'île :
– Raenna épousa Halfdan, un homme aux idées aussi arrêtées que les siennes. Beau garçon à la barbe noire et rousse, il se saoûla le jour de ses noces. Raenna demanda le divorce le soir-même. Halfdan, soudain dégrisé, fit amende honorable et depuis, Raenna s'occupa de la demeure et des labours en femme avisée. Les terres étaient pauvres, Halfdan sillonnait les mers du monde non pas pour piller les riches contrées du Sud mais pour dévaliser les navires qui revenaient chargés de trésors. Il les attaquait, les rançonnait et

les coulait. Il lançait raids et rapines contre les bateaux marchands de toutes nations et contre les drakkars de ses compatriotes... comme celui de ton père Olaf-le-Noir !
Allons dormir, mes amis, je vous conterai la suite demain.
Et c'est ainsi que, tous les soirs, Sigurd nous plonge dans l'effroi aux récits de la saga d'Halfdan.
Parce qu'un jour Thordis, l'épouse de Gissur, avait pris la place de Raenna sur le banc d'honneur, Raenna fit rouer de coups de bâton l'esclave de Thordis par son esclave Floki. Halfdan, pour ne pas avoir d'histoire avec Gissur, un pirate comme lui, lui versa une amende de trois öres d'argent. Là-dessus, Thordis engagea un homme de main, nommé Harekur, pour assassiner Floki, l'esclave de Raenna.
Le soir suivant, nous apprîmes qu'Harekur laissa pour mort Floki, alors que l'esclave coupait du bois, et que Gissur, pour ne pas avoir d'histoire avec Halfdan, lui paya quatorze öres d'argent. Raenna fit venir ses fils Ingjoël et Knut, qui avaient seize ans, pour assassiner Harekur qu'ils ratèrent. Halfdan dût payer cinquante öres d'argent pour les dommages causés à la grange de Gissur qui avait brûlé. Thordis engagea alors une troupe armée. Raenna fit de même. Le pays fut à feu et à sang.
Halfdan fut banni. Gissur aussi. Ils disparurent sur les mers laissant Ingjoël et Knut grandir sous l'influence de Raenna, qui ne décolérait pas, et dans l'attente du retour d'Halfdan dont la réputation de cruauté faisait le tour

des fjords. Ils devinrent des brigands terrifiants.
Et puis ton père, Olaf-le-Noir, qui n'était pas un tendre, rencontra un soir, sur la mer du nord, le bateau pirate d'Halfdan. Allons ! Tous au lit !
Vient le soir où Sigurd consent à finir l'histoire d'Olaf et d'Halfdan :
– Tapi pendant ses trois hivers de bannissement dans une hutte de terre, Halfdan en était sorti, hirsute, affamé, ivre d'en découdre avec le premier venu.
Il descendit avec trois longs navires vers les côtes du Sud. Ses équipages étaient des hommes à demi sauvages. Ses deux fils, Ingjoël et Knut, l'avaient rejoint ; c'est contre eux que vint buter le convoi des six drakkars et des trois knars d'Olaf-le-Noir.
Le combat naval fut terrible. Jamais ton père ne voulut en parler, Harald. Un jour je rencontrai, dans une taverne, l'un des survivants, Björn Ingolfsson. Il lui manquait un bras. Il me dit qu'au cours de cette bataille, il crut que le dieu Thor et le loup Fenrir s'affrontaient, tant Olaf et Halfdan se battaient avec fureur. Ton père, désarmé, allait succomber quand il hurla : « Harald ! Viens à l'aide de ton père ! » Alors un orage de mer tomba dru sur les combattants. Olaf roula sur le pont, ne trouva qu'une hache. Halfdan, debout, brandissait son épée droite au-dessus de la tête d'Olaf. Il y eut un éclair qui éblouit Halfdan. Ton père, à genoux, asséna un coup de hache si fort qu'il fendit en deux le bouclier d'Halfdan. Le pirate, dans un sursaut, recula, se prit les pieds dans un cordage et culbuta par-dessus bord. Il se noya dans la mer en furie sous les yeux de ses fils.

Je demeure silencieux, le cœur empli d'émotion.
– Voilà pourquoi, dis-je enfin, sachant que les fils d'Halfdan demanderaient mon sang pour venger leur père, Olaf me cacha à la vue de tous.
– Ha ! Ha ! s'esclaffe Sigurd. Harald Fosse-à-Grains !
Comme je me lève furieux, sous l'insulte, Sigurd m'apaise :
– Allons ! C'est moi qui ai conseillé à ton père de simuler ta mort. Il était désemparé et fou d'inquiétude. Je lui appris le nom d'un ami établi en Francie qui pourrait t'accueillir, et lui dis de te cacher en attendant ton départ. Les fils d'Halfdan rôdaient nuit et jour autour d'Holmberg et avaient soudoyé des esclaves. Ce fut quand on retrouva ta tunique déchirée et tachée de sang qu'ils s'éloignèrent, rongeant leurs poings de fureur.
– La saga d'Halfdan est-elle finie ? demande Brunehilde, impatiente.
– Ma foi, je l'espère de toute mon âme, réplique Sigurd. Je pars demain à l'aube sur le knar de Boutfir, qui est venu visiter votre pays des glaces ! Quoique j'ai entendu dire qu'il se produisait des jaillissements formidables d'eau chaude* par-ci par-là, ton pays est bien difficile à vivre Harald !
– Vous n'étiez pas obligé d'y venir, grommelle Brunehilde.

7

Knut
sème le malheur

Le lendemain, une fois le knar de Sigurd disparu à l'horizon, nous faisons le tour de notre ferme. Comme nous sommes misérables à voir, sortant enfin de nos tanières, éblouis, maigres et affaiblis ! Les esclaves sont pires encore. Quant au bétail, il a dû se contenter de déchets de poisson broyés avec des feuilles séchées dès le deuxième mois.

En ce jour de printemps, vaches, veaux et chèvres sont encore si faibles que nous devons les entasser sur le chariot ou les porter dans nos bras pour qu'ils puissent gagner les pâturages.

Bientôt, toute la maisonnée se met à l'ouvrage car les labours vont commencer. J'ai une charrue à versoir en bois et à soc renforcé en fer que j'ai façonnée et forgée cet hiver avec Snorri ; nous avons aussi fabriqué des faucilles, des fourches, des houes et des pelles. On sème de l'orge, du blé, mais sans grand espoir car seul l'orge croît ici. Heureusement, nous avons d'autres ressources avec l'élevage des moutons et des poneys que nous

capturons dans la lande.
Avec du bois de bouleau, nous faisons du charbon de bois pour la forge qui résonne du matin au soir.
Dès que l'orge a été mûre, les esclaves l'ont brassée dans des seaux cerclés de fer où elle fermente. Ainsi, nous avons bu de la cervoise fraîche.
Brunehilde, houspillant ses esclaves, s'affaire à conserver la viande séchée et salée.
J'aimerais bien fêter la naissance d'un fils mais, hélas, aucun petit Leif Haraldson ne s'annonce.
Du blé ? Autant dire qu'il n'y en eut pas. Brunehilde fait la grimace. Le pain de seigle qu'elle cuit dans des fours ronds est médiocre et plein de débris de cailloux venus des meules en pierre où elle écrase le grain.
La vieille Thorkun en a les dents toutes usées. Elle a perdu son vieux compagnon, Kol, un esclave mort de faiblesse et de froid ; on l'a enterré en terre d'Islande en plaçant une cruche près de lui. Thorkir, homme libre de mon clan, est mort en se battant avec un ours polaire ; nous l'avons enfoui sous de grosses pierres dessinant la forme d'un drakkar afin qu'il atteigne lui aussi le Walhalla par la mer.

Un matin, après avoir déjeuné d'une bouillie d'orge et d'un bout de pain, chacun part à son travail. Les esclaves lavent les tuniques, les enfants se frottent avec des feuilles de bouleau, un excellent savon, et se rincent à la rivière. J'ai demandé à Sven et à Egill de porter le fumier dans les champs pour l'y épandre. Ils remplissent à ras bord une auge fixée par

des liens d'osier aux patins du traîneau tiré par deux poneys.
Je casse des mottes de terre avec un pilon pour ameublir une parcelle quand je vois arriver le traîneau de Brunehilde, tiré par ses chiens. Ma femme saute à terre et me lance :
– Ai-je épousé un fils de jarl ?
– Oui, dis-je, un peu inquiet.
– Alors les armes devraient être le seul souci de mon époux. Moi-même, je ne devrais tisser que de la toile fine, porter des bijoux en or, manger du pain blanc, des volailles et ne boire que de l'hydromel ?
– Heu...
– N'ai-je pas plutôt épousé un paysan ? Ce qui m'oblige à filer et tisser la laine grossière, à cuire le pain noir et à manger du veau bouilli ?
– C'est-à-dire...
– Ne suis-je pas en définitive femme d'esclave ? Contrainte de traire, d'amasser du bois, de manger de la soupe et du pain infect !
– Brunehilde ! Qu'as-tu à me reprocher au moment où, grâce à notre travail, nous allons avoir une vie meilleure ?
– Fumer des jambons, aigrir le lait, cuire des galettes ne donne ni or, ni bijoux, ni vin, dit-elle et je ne vois pas comment, en cassant ces mottes de terre, tu vas en faire sortir un trésor !
– Ne sois pas stupide, femme. Dès les semailles finies, nous irons chasser, amasser des fourrures et des plumes d'oiseaux que Hrafr, suspendu par une corde le long

de la falaise, ramasse par poignées. En chassant des morses et des narvals, nous aurons de l'ivoire ; nous capturerons des gerfauts* vivants et nous vendrons toutes ces richesses aux marchands.
En échange, nous aurons bijoux, soieries, esclaves et tu seras de nouveau épouse de jarl !
– Bien, dit Brunehilde, en ce cas je retourne surveiller la lessive.
Pauvre Brunehilde ! Ce seront des outils en fer, des chaudrons et des haches que nous échangerons avec les marchands. Bah ! J'offrirai quand même à ma chère femme un châle rouge, des fils de soie et deux broches en or.
Quand je reviens le soir, affamé, Brunehilde a cuit un rôti. Un vrai festin de roi, arrosé de cervoise.
Quatre années passent ainsi.

C'est Fral, le chien préféré de Brunehilde, qui me réveille cette nuit-là. Je saisis mon arc, mes flèches et mon épée. J'appelle ma femme, mes gens et mes esclaves. Plus d'une vingtaine d'hommes entourent ma ferme et l'assaillent en poussant des cris affreux. Notre porte est solide. Les murs et le toit sont de terre et de bois. Je m'inquiète pourtant.
Je sais que rien n'arrêtera Knut-le-Maudit !
Car c'est Knut, encore lui, qui attaque ma demeure.
La fureur me prend, je tire flèche sur flèche par les fentes des murs et j'abats homme sur homme.
Le vieux Sven, sortant de l'étable, est blessé. Il se réfugie près de moi et me dit :

– Je vais courir tant que je le peux pour prévenir Snorri et les autres clans.
– Va vite, Sven, et garde-toi !
Les démons brûlent ma porte et je me bats à l'épée. Quatre hommes gisent à mes pieds.
– Knut le lâche ? Où te caches-tu ?
À ce moment, j'entends Fral hurler. Knut l'a blessé à mort d'une flèche. Brunehilde l'entend aussi et se jette à son secours. Je n'ai que le temps de crier :
– Brunehilde ! Reviens !
Knut tire encore. Sa flèche file comme une abeille. Elle frappe Brunehilde en plein cœur.
Ma femme tombe morte !
Je pousse un hurlement sauvage et je me précipite brandissant mon épée. À ma vue, tous sont pétrifiés. Knut crie :
– Je visais le chien pour l'achever, Harald ! Elle s'est jetée sur ma flèche !
Le hurlement qui s'échappe de ma poitrine est celui, étrange et inhumain, de Gudrun clamant ses imprécations.
Les hommes de Knut tournent les talons et s'enfuient. Knut les invective :
– Revenez, bande de poltrons !
Nul ne l'écoute. Alors il saute dans un buisson avec un cri de rage et disparaît. Je le poursuis.
Mon haleine souffle la mort, mes yeux jettent la mort, mon bras brandit la mort. Knut atteint le rivage où flotte son drakkar. Il se retourne et me décoche une flèche. La douleur me traverse le bras. Je n'ai que le temps de

voir, dans un tourbillon de brume noire, Knut et ses hommes s'éloigner à la force des rames.
Quand j'ouvre les yeux, deux de mes esclaves lavent mes blessures. Ils m'apprennent qu'un homme de Knut, avant de trépasser, leur a dit que son chef est parti pour le pays des Francs, dans l'île de Noirmoutier, qu'il occupe. Il pille et rançonne tout le pays alentour.
Je réussis à me lever et à faire quelques pas.
Las ! Toute ma vie gît à mes pieds : ma Brunehilde, morte, ma ferme abattue par le fer et le feu, les poutres noircies et fumantes, l'herbe brûlée de mes pâturages, mon bétail égorgé ou noyé flottant sur la rive, Fral, mon chien, le cœur transpercé d'un coup de lance. De mes vingt esclaves, il ne reste en vie que six hommes et quatre femmes qui se sont enfuis à temps ; ils ont erré toute la nuit et sont revenus au matin, blêmes comme des esprits.
Snorri, sa famille, ceux de mon clan, arrivent de partout à la fois, alertés par Sven. Trop tard. Snorri s'arrache les cheveux :
– Pourquoi ai-je tant couru, ce jour funeste où j'ai conquis mon domaine ? Trop de distance entre nous ! Je n'ai pas entendu tes appels, Harald. J'ai failli à notre loi de fraternité !
Le visage sombre, je m'écrie :
– Nul n'a vu la sauvagerie ni la fuite honteuse de Knut-le-Sanglant, sauf moi ! Je jure devant vous que rien, ni feu, ni fer, ni mer, ni dragon, ni mort ne m'arrêtera sur le chemin de la vengeance et que Knut sera châtié.
– Je serai à tes côtés, Harald, dit Snorri.

On ensevelit ma femme dans son beau châle de laine rouge avec sa tunique brodée de fils de soie et tous ses bijoux. On met auprès d'elle ses fuseaux, ses coffrets et ses ustensiles de ménage avec quelques aliments. Fral l'accompagne dans son dernier voyage, avec son beau harnais de traîneau. Puis je fais sculpter une haute pierre où j'écris avec les lettres runiques : « Harald-le-Viking dit à tous que nul ne vit jamais meilleure épouse ni fermière plus avisée que Brunehilde tuée par un traître nommé Knut ».
Nul doute que les runes, signes magiques, protègent ma bonne épouse et m'apportent soutien et courage pour me jeter à la poursuite de Knut.
Avant de quitter l'Islande pour les côtes de la Francie, je fais graver sur la pierre le dessin de mon fier drakkar fendant la mer et éperonnant le drakkar de Knut.

8

La fille du charbonnier

Après un très long voyage, nous arrivons en vue des côtes du pays des Francs, à l'île de Noirmoutier, non loin de l'estuaire d'un immense fleuve*. Nos quatre drakkars sont équipés de boucliers, de bannières et de têtes de dragon pour effrayer les habitants des lieux. Aucun Viking n'aurait arboré ces monstres terrifiants en entrant dans nos ports scandinaves : ils auraient alarmé nos femmes et nos enfants ; mais ici, leur usage est tout indiqué.

Pour cacher notre flotte derrière des rochers en attendant que le jour se lève, j'ordonne que la voile soit abaissée, le mât démonté et couché, les rames mises en place dans leurs trous.

Mes guerriers, protégés de cottes de mailles, casqués, l'épée au côté, se mettent aux avirons. Ils bouillent d'impatience. Au loin, le camp de Knut dort encore. Je tremble de rage. Vais-je enfin tirer vengeance du terrible affront que m'a infligé Knut le maudit ?

La mer se fait très mauvaise.

J'ordonne qu'on fasse force de rames pour approcher du rivage. Nos drakkars volent sur le dos des vagues agitées. Soudain, Snorri fait sonner les trompes ; nous touchons le sable et, d'un seul élan, mes hommes sautent dans l'eau en hurlant et en cognant leurs armes sur leur bouclier, car nous n'attaquerions pas des hommes endormis.

Une grande peur s'empare des brigands de Knut qui s'éveillent en sursaut.

Je cours sus à un gros et grand homme qui, à moitié vêtu, s'enfuit : c'est Knut ! Rien ne m'arrête. Je fends en deux un homme qui se jette sur moi, un autre qui lance une corde pour me piéger. Rien n'apaise l'immense colère que j'ai en moi. Je bondis, arrachant ma cotte de mailles, jetant mon bouclier, brandissant mon épée : seul contre tous. Je ne sens même pas les coups reçus. Je cherche Knut.

Knut a disparu dans la fumée des incendies. Je ne vois plus qu'hommes fuyant, se jetant dans leurs drakkars, des blessés, des mourants clamant la litanie de leurs exploits afin d'attendrir les Valkyries, gardiennes du Walhalla.

– Knut ! Où est Knut ?

Snorri me retient le bras à grand-peine :

– Hélas, il s'est encore enfui ! Vois là-bas, le grand drakkar, au large, sous la tempête. Il va disparaître, englouti dans les vagues. Odin est contre nous puisque nous n'avons pu tirer vengeance, mais Aëgir n'est pas sourd à nos malédictions. Knut va mourir misérablement et ses os iront blanchir au fond de la mer !

– Puisses-tu dire vrai, Snorri !
Soudain repris par ma fureur, je me jette, l'épée à la main, sur un arbre que je fends en deux. Le quatrième arbre abattu, je m'apaise et remets mon épée au fourreau.
Une soif d'aventures me submerge à présent :
– Mes amis ! Attaquons la ville prospère qui, un peu plus loin, plonge ses tours dans l'eau de ce fleuve magnifique et que chacun prenne ce qui revient de droit à des guerriers vikings !
Nous remontons le cours du fleuve vers la ville de Saint-Vincent-de-Brogne sous une tempête qui soulève encore de hautes vagues sur le fleuve alors que nous sommes déjà loin de son embouchure.
Comme je ressens une vive douleur au côté, nous campons la première nuit dans un bois touffu, où j'aperçois une chaumine. Près de la porte un vieil homme apeuré, noir des pieds à la tête, tente de cacher derrière son dos une femme étrange. Ses cheveux gris sont ceux d'une vieille. Elle garde les yeux baissés. Quant à son visage, il est couvert de croûtes.
– La lèpre ! hurle Snorri. Fuyons !
– Nenni, messire, crie le charbonnier, ma fille Blanche ne souffre que d'urticaire ! Venez vous rafraîchir à ma source. Le temps est vilain. La nuit sera rude.
Avec une grande douceur, la pauvre fille soigne ma blessure avec des herbes magiques à n'en pas douter, car au matin, toute douleur a disparu.
– En route ! crie Snorri. Merci brave gens ! Harald-le-Danois ! Viens-tu ?
Nous sautons à bord de nos drakkars malmenés par

le vent qui n'a point faibli. J'ai le temps d'apercevoir la fille au visage disgracié courir sur la grève en criant des mots que nous n'entendons pas.

À la vue de nos dragons sortant du fleuve, aux sons de nos trompettes et des clameurs terrifiantes que nous poussons, les gens de la ville s'enfuient horrifiés dans la forêt, en priant leur dieu de pardonner leurs fautes.
Nul ne s'oppose à notre débarquement. C'est dans une ville ouverte que nous entrons.
Nous y trouvons un assez joli butin : de l'or, beaucoup d'or, ce métal dont les Francs parent leurs églises et leurs monastères. Nous trouvons aussi de l'argent : plats, ornements, boucles et fibules, monnaie. Nous nous emparons de provisions et du meilleur : froment, jarres d'huile, morceaux de porc salés et fumés, tonneaux de vin.
Revenant vers nos navires, nous faisons prisonniers six hommes jeunes qui tentaient avec des fourches de nous arrêter et trois belles paysannes que nous emmenons comme esclaves.
Le butin est déposé au pied du mât et l'on fait le partage. Ma part n'est pas plus grosse que celle des autres et chacun reçoit son dû.
Je prends avec moi une esclave nommée Doette que j'espère vendre trois marks car elle est bien faite et solide. Elle a, de plus, un visage qui m'est familier et la parole facile. Dès le premier soir, elle me raconte une bien étrange histoire.

- Harald-le-Viking ! me dit Doette, vous avez un nom que je connais bien pour l'avoir entendu prononcer plus de dix fois par jour au château de sire Hubert de Franmontel où j'étais servante...
Voici comment Doette Martin m'apprend que, depuis mon évasion, Clothilde, la jeune fille du seigneur, ne cessait de soupirer et de dire combien elle aimait Harald-le-Viking.
– Las ! dit Doette, peu de temps après votre fuite les pirates du Nord ont envahi le château et l'ont brûlé. Sire Hubert et l'un de ses fils furent tués, damoiselle Clothilde fut enlevée par un chef viking, toutes les richesses pillées...
– Clothilde ! Enlevée ! Par qui, Doette, par qui ?
– Je ne sais pas, messire. Tout s'est brouillé dans ma tête. Les survivants du massacre ont pu fuir leur chaumière ruinée car l'autorité du seigneur défunt ne les contraignait plus à y rester ; les murs du château ne protégeaient plus personne. J'ai fui avec mes vieux parents et je suis venue dans cette province pensant être à l'abri. Le seigneur de la région nous accorda des terres marécageuses à irriguer et à cultiver. Ce fut dur mais nous étions libres et heureux. Hélas ! Vous et vos Vikings avez tout détruit, une fois encore !
- Doette, comment le château a-t-il pu tomber si vite aux mains des pirates ? Il était bien défendu par deux tours, une palissade et un fossé !
– Hélas ! C'est un seigneur franc, voisin de sire Hubert, son ennemi depuis toujours, qui l'a livré par traîtrise aux Vikings.

– Un Franc allié aux Vikings !
– Pour mieux abattre un rival et le ruiner, oui, cela s'est vu souvent. Ah ! Messire Harald, le monde est à l'envers depuis que vos guerriers envahissent nos contrées. Les églises, lieux sacrés, sont pillées et éventrées. Les moines, gens cloîtrés, courent les routes avec leurs reliques et leurs trésors pour les cacher ; les seigneurs se font félons ou meurent égorgés comme des gorets ; les paysans voient enfin briller un peu d'or dans leurs mains quand ils commercent avec les Vikings établis dans la région ; les fuyards, les pauvres gueux, se font brigands et détroussent les riches et les serfs qui, comme mon père, ont acquis des terres libres, prennent les armes pour s'opposer aux envahisseurs.
– Et qu'arrive-t-il alors ? Est-ce que les serfs sont victorieux des fiers Vikings ?
– Oui, mon bon sire, ne vous en déplaise ! Rien ne peut briser la résistance d'un homme, même le plus misérable, s'il est déterminé à défendre sa vie, celle des siens, sa terre. Et il manie les armes avec autant de courage qu'un chevalier !
– Tu me dis là de bien curieuses choses, Doette !
– Mais vous n'avez pas entendu le plus étrange, messire. Les seigneurs devant cette situation s'allient parfois contre un ennemi commun. Lequel à votre avis ?
– Contre les Vikings, par Odin !
– Nenni, Harald ! Ils s'allient contre leurs propres paysans qui se sont armés ! Car, pour un noble, le serf qui lève la tête est un insecte que l'on écrase sous le pied. C'est ce qu'ils ont fait. Une armée a cerné la troupe de

paysans et l'a anéantie. Mon père a été pendu. Il avait pris les armes et repoussé trois fois un débarquement viking.
– Voilà qui est bien singulier. En mon pays, le paysan aurait été élevé au rang de héros !
Soudain, la pensée de Clothilde aux mains de nos Vikings me revient à l'esprit et me fait frémir.
– Doette, ne me cache rien. Clothilde est-elle encore en vie ? As-tu vu ce qu'il s'est passé ?
– C'était un brouillard de fumée, un jaillissement de flammes, de fer et de sang. J'ai couru vers la damoiselle qui, comme un papillon affolé, allait se jeter au milieu du carnage, vêtue de ses riches atours, proie rêvée pour ces brutes. Je l'ai emmenée et l'ai fait se vêtir d'une vieille robe de bure et se chausser de socques* de paysanne. Nous avons voulu fuir par une poterne. Hélas ! Un chef viking, un géant affreux, nous a vues. Il a attrapé Clothilde. Moi, je l'ai mordu, griffé jusqu'à ce qu'il m'assomme d'un coup de poing. J'ai pu fuir au matin. On m'a dit plus tard que Clothilde était toujours prisonnière du chef viking. Je crois que, vêtue comme une serve parmi les serves, elle a sans doute été épargnée car vous savez que les riches captives sont prises pour femme ou pire, vendues contre rançon. Mais qui viendra racheter la fille de feu sire Hubert, orpheline ruinée ?
– Ça Doette, le destin le dira. Où ce Viking, voleur de jeune Franque, a-t-il installé son camp ?
– En plein pays des Francs, messire, près du camp de Rollon, le chef danois qui occupe à présent un grand

territoire de Neustrie.
– Bien Doette, va te coucher. Le jour qui se lèvera demain verra des choses encore plus étranges que celles que tu m'as contées. J'en fais le serment !

Nous avons dressé nos tentes dans l'île de Noimoutier d'où nous avions chassé Knut, il y a peu de temps.
Dès l'aube, je me lève et je dis à mes compagnons :
– Nous partons, aujourd'hui, pour la Neustrie.
– Pourquoi cette hâte ? me demande Snorri. Pourquoi remonter vers le nord du pays des Francs quand ici nous avons le soleil, le vin et les joies du pays ?
Je ne sais que répondre à mon ami.
Lui parler de la tendresse que j'ai pour Clothilde ?
Lui dire que c'est une fille noble devenue esclave qui se languit en Neustrie, si tant est qu'elle soit encore en vie ! Qu'elle risque d'être vendue à l'autre bout du monde et que chaque heure perdue est fatale pour elle ?
Lui décrire mon angoisse soudaine ? Il rira de moi. Et mes compagnons diront qu'ils ont tout à perdre en Neustrie car les gens de là-bas s'enferment, résistent, et la vie n'est pas aussi facile qu'ici.
Snorri, Björn me regardent, droits et froids. Tous mes guerriers sont là ; ils sourient mais leurs yeux disent non !
Je sors mon épée et je dis :
– Vikings ! Je dois aller en Neustrie chercher une jeune fille du nom de Clothilde que je connais bien !
– Tu perds l'esprit ! me lance Snorri.

– C'est la fille du comte Hubert… Elle est l'esclave d'un Viking...
– Peu nous importe ! dit Björn.
– Elle est prisonnière d'une brute, d'un géant... Je ne sais ni d'où il vient ni son nom...
– Knut ! C'est Knut ! crie la voix de Doette.
Elle se précipite vers moi.
– C'est le nom du géant ! Je m'en souviens tout à coup !
– Knut ! Ah ! Malédiction ! Clothilde est perdue ! Vite mes compagnons, embarquons !
Alors, sans un mot, mes amis courent aux drakkars, bondissant à droite sur les équipements, à gauche sur les coffres. Ils chargent les armes, défont les tentes, amassent les vivres. Six chevaux sont rassemblés et embarqués avec précaution, en les faisant sauter sur le pont où ils sont entravés.
Et c'est ainsi qu'au seul nom de Knut, nos drakkars quittent les pays du Sud, bourrés d'hommes, de bêtes et d'esclaves. Accompagnés de Doette, nous voguons vers la Neustrie, pays inconnu pour beaucoup mais déjà cher à mon cœur.

9

Rollon,

un vassal turbulent

Le vent est bon, les bras des rameurs vigoureux. En cinq jours, nous longeons la côte escarpée d'une énorme et belle presqu'île* et nous atteignons l'embouchure de la Seine. Nous remontons le fleuve jusqu'au camp de Rollon. Les chevaux débarqués, nous galopons jusqu'à la colline où est montée sa tente. Là, on nous apprend que le chef viking est parti en expédition. Il assiège une ville franque* fortifiée qui se défend âprement. Rollon s'obstine et tient un siège difficile depuis deux mois.

Nous demandons où est Knut.

– Knut ? Il a disparu depuis un an.

– Et ses esclaves ?

– Tous vendus.

– Tous ?

– Nous croyons qu'il a péri en mer. Il était parti pour l'Islande – une affaire de famille à régler, disait-il – après avoir tout emporté et vendu ses esclaves. Puis il est revenu à Noirmoutier. Un matin, à l'aube, il a disparu,

laissant derrière lui son campement dévasté et la moitié de ses hommes. Depuis, plus de nouvelles. Rien. Pour nous, il est mort.
Que tristes sont ces mots et comme ils pèsent glacés dans ma poitrine.
– Tout est fini, Doette. Clothilde brasse la bière et file la laine quelque part dans un pays lointain !
– Non, messire Harald. Je connais trop bien damoiselle Clothilde. Jamais elle n'aura voulu s'embarquer loin de son sol natal. Ou bien elle est encore ici, esclave d'un autre maître, ou bien elle s'est cachée... dans la forêt. Messire Harald, nous retrouverons damoiselle Clothilde, devrais-je la chercher jusqu'en enfer !
Je décide de rejoindre Rollon. Peut-être sait-il quelque chose ?
Après un jour de galopade, je vois au loin une haute fumée. C'est la ville dont un quartier flambe mais le reste tient bon. Au pied des remparts de pierre et de bois, les hommes de Rollon tirent des flèches, lancent des torches enflammées et de gros blocs de pierre au moyen de machines de guerre.
Du haut des murailles, les gens de la ville criblent de flèches les assaillants et déversent sur eux de la poix brûlante. Les hommes de Rollon, crinière en feu, se jettent tout rouges et hurlants dans l'eau pour éteindre leurs brûlures.
– Hola ! Harald ! dit Rollon quand je lui apprends mon nom, toi qui as vécu au pays des Francs, m'a-t-on dit, quelles diableries vont encore inventer ces maudits habitants pour défendre leur ville ?

Rollon est un superbe Viking très grand et sûr de sa force. Son nom norvégien était Gongu-Hrolf ou Hrolf-le-Marcheur car il était si grand qu'aucun cheval ne pouvait le porter.
– As-tu essayé, lui dis-je, de démolir leurs murs avec un bélier ?
– Je ne peux pas m'en approcher. Il nous tombe du ciel une pluie de pierres, de fer et de feu !
– Il faut couvrir le bélier d'un toit, lui-même protégé de peaux de vache fraîchement écorchées qui ne risqueront pas d'être enflammées.
– Excellente chose ! Où as-tu appris cela, ami danois ?
– Dans les livres latins que le chapelain me donnait à étudier au cours de ma captivité.
– Tu n'as pas perdu ton temps !
Aussitôt Rollon appelle ses charpentiers :
– Au travail ! Il me faut cette machine à l'aube. Vous besognerez toute la nuit s'il le faut, à la lueur des torches.
– Les gens d'ici savent se défendre, me dit Rollon, au souper. Hommes, femmes, enfants se battent comme des lions. Tu ne peux imaginer leurs inventions. Ne craignant plus nos têtes de dragon, ni nos étendards, ni nos trompettes, ils remplissent les rivières d'obstacles : bateaux coulés, pieux pointus, ils barrent les fleuves de ponts fortifiés et tendent des chaînes d'une rive à l'autre ! Le temps n'est plus où la terreur des Vikings pétrifiait le monde et où tous et toutes tombaient à genoux pour prier tandis qu'on les pillait à tour de bras !
À ce moment, un homme du nom de Thorkal se précipite :

– Rollon ! Deux autres drakkars brûlent, enflammés par les flèches de feu des Francs. L'eau de la rivière a été empoisonnée en amont par des charognes jetées par les paysans. Les chevaux meurent, il n'y a plus de fourrage, les champs sont en feu et il ne reste que deux jours de vivres !
– Harald ! Ton bélier caché sous le toit de sa niche ne servira plus à grand-chose. Qu'ai-je à gagner si, la ville une fois prise, je n'ai plus un seul guerrier capable de se tenir sur ses jambes pour y entrer en conquérant ! Les temps ont bien changé. Conseille-moi Harald, toi qui connais les gens de ce fichu pays.
– Fais la paix avec eux.
– J'y pensais. Je n'attaque plus les Francs. Au contraire, je les défends contre les autres Vikings pillards. En échange, les Francs me laissent vivre en paix sur les terres que j'ai conquises ici et où je me plais fort : jolies prairies, bon bétail, blé en abondance, vin, cidre, fruits, belles femmes. Tu es loin d'imaginer, Harald, la beauté des captives que nous avons attrapées ici ou là. Mais je suis stupide ! Tu connais ces belles paysannes puisque tu as vécu dans ce pays. Qu'en penses-tu ?
– Beaucoup de bien. As-tu capturé des dames nobles ?
– Ma foi non, que des servantes.
– Ah ! Et que sont devenues les esclaves de Knut ?
– Ce rustre qui a disparu l'an dernier ? Nous les lui avons achetées.
– Sont-elles encore ici, dans la région ?
– Nous en avons revendues. D'autres sont encore parmi nous. Deux ou trois se sont enfuies. Pourquoi t'inté-

resses-tu aux esclaves de Knut ?
Je ne réponds pas. Rollon me regarde, surpris.
– Allons ! Il faut lever le siège de cette ville infernale. Dès l'aube, nous levons le camp ! Je suis prêt à rencontrer comte, duc, roi ou même le pape pour négocier un bon traité. Allons nous coucher, je suis las et bien content d'avoir pris cette décision.
Doette a beau fouiller les moindres recoins des granges, elle ne trouve pas Clothilde. Il y a des centaines d'esclaves qui arrivent sur les marchés, d'autres qui repartent, vendus aux quatre coins du monde. Je cherche, aidé de Snorri et de Björn. En vain. Nulle esclave n'a pour nom Clothilde, nulle n'a ses cheveux blonds ni ses yeux verts, ni son air impertinent et drôle quand elle tapait du pied, me menaçant de ses chiens. Je perds l'espoir de la retrouver.

Snorri veut rentrer avant les grands froids en Islande où l'attend Vigdis. Avec un serrement de cœur, nous le voyons descendre le fleuve vers l'Océan. Björn et quinze compagnons restent avec moi.
Vient l'automne et le jour de la signature du traité entre Rollon et le roi des Francs.
C'est dans un charmant bourg, près de l'Epte, paisible rivière bordée de peupliers, qu'a lieu la rencontre.
Rollon, magnifique dans ses habits brodés d'or, piaffe d'impatience devant le roi des Francs, Charles III dit le Simple. Chétif et timide, le monarque n'en finit plus de s'asseoir sur son trône et de faire des discours.
Un dignitaire franc glisse quelques mots à l'oreille de

Rollon. Je vois celui-ci froncer les sourcils.
Charles prononce les derniers mots qui établissent le traité que l'on appela le traité de Saint-Clair-sur-Epte* du nom du saint du village et du nom de la rivière.
Rollon devient duc de Normandie, suzerain de la province allant de l'Epte à l'Atlantique. Il doit, en échange, protéger le pays des incursions vikings et prêter serment d'allégeance au roi de France. Et c'est là que les choses ne vont plus !
Rollon fait un signe à l'un de ses compagnons :
– Va à ma place baiser le pied du roi en signe d'allégeance. Je suis trop fier viking pour m'agenouiller même devant mon suzerain, par Odin !
Le Viking avance d'un pas ; mais il n'est pas moins fier que Rollon. Il se baisse, attrape le pied de Charles et, se relevant tout raide, le porte à sa bouche. Charles, roi des Francs, bascule et tombe à la renverse ! Un grand rire secoue la foule.
– Majesté ! s'exclame Rollon, ce n'est pas ce que je voulais faire ! Mais, par Odin, le geste de mon ami, tout vif qu'il soit, n'en est pas moins fort respectueux, sire !
– Je n'en doute pas, mon cher vassal ! dit Charles en rajustant sa couronne. Et pour vous le prouver, voici ma fille Gisèle en mariage. Cependant, de grâce, ne dites plus à tout bout de champ "par Odin !" car vous avez promis de vous faire baptiser l'an prochain et de croire en notre Dieu Tout Puissant.
– C'est ma foi vrai ! Par Odin, je ne l'oublierai plus !
Et un grand festin clôture la cérémonie.
Assis autour des hautes tables du banquet, dressées

dans un pré, non loin de la rivière, Björn, mes amis et moi ouvrons des yeux de chouette devant les amas de victuailles, viande en sauce au poivre, veau bouilli, cygnes rôtis décorés de leurs plumes, sangliers entiers à la broche, poissons et pain blanc qu'engloutissent les seigneurs francs en buvant des vins épicés.
Rollon, devenu vassal du roi franc, est fort joyeux.
Des conteurs viennent jouer de la musique et chanter les prouesses du roi Arthur et de ses chevaliers. Pour présenter les mets, les esclaves de Rollon portent les plats qui sur la tête, qui sur la hanche ou à bout de bras, selon qu'ils sont noirs, jaunes ou blancs. Il y a plus de femmes que d'hommes, des blondes, des rousses. Il y a même la femme aux cheveux gris, la fille du charbonnier, que les autres bousculent car elle traîne la jambe. C'est une ronde incessante de plats et de cruchons tandis que le vin coule comme autant de sources.
Voilà Olaf dit Côtes-de-Fer qui se lève et conte comment en, Angleterre, les Vikings ne sont plus les rois et que les temps ne sont plus les mêmes :
– Les Danois ont été longtemps les maîtres du pays, nous dit-il, buvant force coupes pour se tenir en verve. Rappelez-vous comme les gens fuyaient en proie à la terreur. Puis vint un roi anglais qui, par neuf fois, battit les guerriers vikings. Guthrum, notre chef, en ressentit une grande colère. Un soir de Noël, il fondit comme un aigle sur le camp de l'Anglais et fit un grand carnage dans l'entourage du roi Alfred le Grand. Les Anglais s'enfuirent avec Alfred et se cachèrent dans les marais.

Ils y construisirent de petits fortins imprenables. Puis ils nous harcelèrent sans arrêt. Alfred avait une bonne armée toujours sur pied, qu'il partageait en deux : pendant que les uns guerroyaient, les autres cultivaient les terres, puis les guerriers fatigués prenaient la houe et les paysans couraient au combat. Voilà comment Alfred, avec sa poignée de combattants, nous rejeta à la mer ! Ah ! Les temps ne sont plus ce qu'ils étaient ! conclut Olaf Côtes-de-Fer.
– Parlez pour les pays d'Occident ! dit alors une grosse voix, mais en Orient, les Vikings comme moi sont les rois des fleuves russes et nous sommes entrés dans la ville la plus fabuleuse du monde, j'ai nommé la ville de Byzance !
Je me dresse, le verre levé.
– Sigurd ! Le grand Russe, mon ami, je te salue !
Je cours l'embrasser. Il me serre très fort contre lui :
- Voici Harald-le-Danois, l'homme qui me sauva deux fois la vie, dit-il d'une voix énorme.
À ce moment, j'entends derrière nous un fracas de vaisselle. C'est la vieille aux cheveux gris qui s'est évanouie et je vois Doette s'approcher d'elle lentement.
– Ce n'est rien, dit Sigurd, ces esclaves ne tiennent pas debout et volent l'argent de leurs maîtres. Écoute bien Harald, je vais te raconter l'histoire de Sigurd et de Byzance.
– J'espère que tu ne mettras pas six mois à la conter comme tu le fis pour la saga d'Halfdan !
Sigurd éclate de rire.
Rollon s'étonne que je connaisse le grand Russe.

– Il a mangé toutes nos provisions de l'hiver dernier, en Islande.
– Brunehilde en a été fâchée, rétorque Sigurd.
– Brunehilde n'est plus de ce monde, dis-je.
Sigurd se lève si brusquement que chacun met la main à l'épée.
– Harald, je ne voulais pas le croire, ni t'en parler. J'ai appris ce malheur par Tiguld, un marchand byzantin. On disait que Knut avait fui après avoir massacré ta femme, tes esclaves et ton chien. Le lâche !
– Ce n'est que la vérité, Sigurd.
– Knut ? maugrée Rollon, où ai-je entendu ce nom qui résonne désagréablement à mes oreilles ?
– Ce n'est qu'un pillard, duc Rollon, avec lequel j'ai un différend que je dois régler au plus vite, dis-je.
– Ah ! Prenez garde mes compagnons ! En tant que vassal du roi de Francie, je ne tolèrerai pas de désordres sur mes terres ! Allez Sigurd, raconte-nous Byzance !
– J'ai couru sur toutes les mers, j'ai vu tous les pays, mais il n'existe pas de plus grand, de plus beau, de plus riche, ni de plus dangereux pays que la Russie ! dit Sigurd d'une voix forte et chantante. Avec un groupe de marchands, quittant la ville de Wollin, riche comptoir sur l'Oder, nous voulions traverser les immenses territoires russes et atteindre Bulgar, la ville aux confins de l'Asie, pour en ramener la soie et les pièces d'argent. Mais le fleuve où voguent nos knars se fait capricieux et des rapides bientôt nous arrêtent. Nous décidons de contourner l'obstacle par un chemin de terre. Nous hissons nos bateaux sur des rouleaux de bois rangés

côte à côte pour faire rouler le navire. En ôtant au fur et à mesure les rouleaux de l'arrière pour les placer à l'avant, nous avançons assez vite. Les barques, plus légères, sont portées par quatre hommes. Nous devons ainsi atteindre la Volga, fleuve immense et navigable qui nous mènera droit à Bulgar.

Le second jour, alors que nous peinons dans la boue et la vase, voici que fondent sur nous de terribles cavaliers, les Cosaques. Nos armes sont dans le bateau, certains de nous n'ont même pas leurs épées. Cris, hurlements, coups de toutes parts et bientôt le sang coule en ruisseaux. Je me bats férocement mais deux Cosaques à cheval me pourchassent, mon épée coupe le jarret d'une monture, l'un des cavaliers tombe mais se relève, l'autre frôle ma chevelure de son épée. Deux autres Cosaques m'assaillent. Je bataille tout en voyant les brigands piller nos bateaux, emmener nos esclaves. Mes compagnons sont tous morts. Je frappe de tous côtés mais je ne donne pas cher de ma vie !

J'entends des sons de trompe, des cris à faire dresser les cheveux sur le crâne. Une troupe d'immenses vikings suédois s'abat sur mes assaillants. En un tournemain, ces derniers sont faits prisonniers, ficelés. Je suis sauvé !

« Qui es-tu ? me demande leur chef.

– Sigurd, marchand russe, tous mes amis sont morts, mon bateau est pillé. Et toi qui es-tu ?

– Je suis Oleg, répond le chef, fils de Riourik le Suédois qui a envahi ce pays et conquis la confiance de ses habitants. Nous commerçons, nous pillons et nous

combattons les Cosaques, ces gens qui vous ont attaqués. Allons, viens avec nous !
– Où vas-tu, Oleg ?
– Nous allons prendre la ville de Byzance ! »
Les yeux me sortent de la tête ! Byzance ! La ville aux mille palais, emplis d'or et de pierres précieuses ! La ville des jardins où coulent des fontaines d'eau de rose, des salles de musique, des colonnes de marbre et des entrepôts qui regorgent de parfums, de soie, d'épices, de bijoux, de fourrures, de tapisseries, d'esclaves et de tant de choses encore.
– En route pour Byzance ! criai-je exalté.
Six mois plus tard, nous arrivons devant Byzance avec deux cents drakkars.
Sigurd prend un gobelet d'étain rempli de vin à ras bord et le vide d'un coup. Il se choisit une poire, la dévore en trois coups de dents...
– Par Odin ! s'impatiente Rollon, es-tu entré dans Byzance oui ou non ?
– Hélas ! Les portes de la ville d'or étaient barricadées et des chaînes tendues en travers du port condamnaient tout passage.
– Par Dieu ! crie un seigneur franc nommé Aldebert, vous y êtes entrés, à la fin ?
– Par un stratagème, mes amis ! Je sus convaincre Oleg de faire rouler ses bateaux sur des rouleaux pour attaquer la ville par derrière et briser sa défense. Alors l'empereur byzantin demanda une trêve et signa un traité de commerce. C'est par une poterne, par petits groupes et sans armes que nous, fiers Vikings, sommes

entrés dans la ville d'or pour y commercer. Et honnêtement s'il vous plaît !
– Tu vois bien qu'en Orient non plus les temps ne sont plus les mêmes ! dis-je en riant.
Doette soudain, me tire par ma manche, émue et tremblante.
– Messire, venez vite ! et elle pose un doigt sur sa bouche.
Je me lève d'un bond et je cours derrière elle à travers le bourg jusqu'au fond d'une grange.

10

L'esclave aux cheveux gris

Sur un lit de paille, gît l'esclave aux cheveux gris. Tout est gris sur elle... sauf les yeux qu'elle a verts.
– Tu ne me reconnais pas, Harald-le-Danois ? dit-elle.
– Tu es la fille du charbonnier. Que fais-tu là ?
– Elle est méconnaissable, me dit Doette, mais c'est elle !
– Elle qui ? Par Odin !
– Clothilde !
Clothilde, cette pauvre créature épuisée ! Clothilde, ma compagne d'enfance si mutine et si blonde !
Je scrute ses yeux, vert prairie comme l'étaient ceux de Clothilde. Ils ont le même éclat moqueur et tendre.
– Clothilde !
Je lui prends les mains et les pose sur mon cœur qui bat follement.
Les larmes coulent sur mon visage, je pleure sur elle et sur toutes les souffrances qui l'ont tant vieillie et enlaidie.
Alors, elle sourit :
– Harald, mon bien-aimé, ne te fie ni à mes cheveux gris, ni à mes hardes, ni à mes rides. Tout n'est que

cendre, terre et poussière dont j'ai couvert mon visage et mon corps ! Depuis que je suis esclave, je me fais repoussante et vieille pour échapper à tes sauvages amis qui voulaient me prendre pour femme !
Comme j'ai pleuré en pensant à toi, le jour où Knut a détruit notre vie et m'a enlevée. Le soir même, j'ai versé de la cendre sur mes cheveux, je me suis barbouillée de charbon et je me suis tapie dans un coin, faisant l'idiote, la bouche ouverte. Le terrible Knut me cherchait partout :
« Une belle fille blonde, criait-il furieux, trouvez-la moi ou je vous écorche vifs ! »
Ses guerriers fouillaient, affolés, passaient à côté de moi en me lançant des coups de pieds. C'est ainsi que j'ai curé des seaux et charrié du bois comme esclave de Knut. Un jour de grande pluie, la cendre a coulé et mes cheveux blonds ont brillé.
Knut m'a reconnue.
« La voilà ! Celle que je cherche depuis si longtemps ! Attrapez-la ! »
J'ai fui dans la campagne, j'ai marché des jours et des jours jusqu'à ce bois où j'ai été recueillie par un pauvre charbonnier. J'y ai vécu un an à mourir de faim et de froid. Le brave homme me faisait passer pour sa fille sous le nom de Blanche.
Te dire ma terreur quand ta troupe de Vikings est entrée dans la chaumière !
Par chance, vous étiez sobres et de maintien honnête. Je ne t'ai pas reconnu, Harald. Sauf quand l'un de tes compagnons t'a appelé Harald le Danois. Mais tu étais

déjà à bord de ton drakkar ! J'ai couru ! Tu ne m'as pas entendue.
– Que de malheurs ma Clothilde ! Comment es-tu arrivée jusqu' ici ?
– Il faut la laisser se reposer, intervient Doette. Je connais ma princesse, elle va s'effondrer d'épuisement.
Comme je me lève à regret pour m'éloigner, sa petite main grise saisit la mienne avec force :
– Ne me quitte plus, Harald, ou je mourrai ! J'ai quitté mon vieil homme le jour même et j'ai couru vers le nord, à pied, en charrette, à cheval. Je savais que Rollon le grand chef viking y tenait son camp de base. Là, j'ai appris que Knut était parti et que le nom d'Harald-le-Viking avait été prononcé. J'ai pensé que tu y étais ; je t'ai cherché en vain. C'est le jour du départ de Rollon pour Saint-Clair-sur-Epte que j'ai su que tu accompagnais le chef viking. Cachée dans un chariot, je suis arrivée ici ! Au cours du banquet, j'ai tout tenté pour t'apercevoir. J'ai osé porter un plat. Quand j'ai entendu ton nom crié par une grosse voix et que je t'ai vu te lever, mes forces m'ont abandonnée.
Doette m'a secourue et quand j'ai ouvert les yeux... tu étais là !
– Ma belle, chère et adorable Clothilde ! Je suis fou de bonheur de t'avoir retrouvée. Ne crains plus rien désormais. Je ne te quitterai plus jamais !
Doette s'éloigne pour cacher des larmes de joie.

Nous imaginons un plan pour arracher Clothilde à sa condition d'esclave. Le lendemain, Doette

l'habille d'une robe de dame noble que je vais chercher dans un butin. Puis je cours annoncer à Rollon que j'ai trouvé la fille de sire Hubert de Franmontel, réfugiée chez un vieil oncle du voisinage et que je l'épouse sur le champ. Comme le château est ruiné, pillé et les serfs dispersés, personne ne me dispute l'héritière, pourtant fort jolie, du domaine. Les gens de Rollon ne sauront jamais ce qu'est devenue la créature aux cheveux de cendre.

C'est ainsi que la belle Clothilde devient ma femme. Sigurd, tout abasourdi, nous offre des cadeaux de roi et aussitôt les adieux faits, nous partons pour le château de Franmontel avec mes compagnons.

La vue des tours éventrées, des poutres noircies, des meubles brûlés, faillit nous faire rebrousser chemin. Le château de bois avait brûlé comme une torche.

Clothilde pleure dans les bras de Doette.

Elle sait que son père et Guilbert ont été tués. Elle apprend aussi que son frère Renaud a disparu.

Avec mes amis, Björn et les autres, nous nous mettons au travail.

Des esclaves sont achetés. Les serfs, apprenant que damoiselle Clothilde, seule survivante du massacre, est revenue au château, rentrent dans leur tenure*. On bâtit à nouveau de tous côtés. Le château est reconstruit en pierre. Le donjon carré est surélevé, l'enceinte renforcée, les fossés creusés.

On sème le blé, l'orge, l'avoine. On fait venir du bétail.

Ceux de mes amis qui ne sont pas mariés épousent des

filles du pays, dans l'église du village magnifiquement restaurée car beaucoup se convertissent à la religion chrétienne. Ils adoptent aussi très vite la langue franque plutôt que la langue danoise pour tout ce qui regarde les soins domestiques et l'éducation des enfants.
Clothilde, rayonnante de joie, de santé et de beauté, me donne un superbe garçon, Leif, suivi d'une petite fille, Inga.
Plus aucun pillard viking ne reparaît et le marché de Rouen regorge de richesses : nous allons y vendre nos produits et le butin que mes amis rapportent de petites expéditions que nous faisons en terre de Belgique pour ne pas perdre la main !

11

Le seigneur de Franmontel

Un matin d'hiver, deux cavaliers enveloppés de capes entrent dans la cour du château. Ils descendent de cheval. L'un est très grand et très gros ; l'autre, sans être petit, paraît fluet auprès de son énorme compagnon. Ils ne me sont inconnus ni l'un ni l'autre, mais je ne peux mettre de nom sur leurs visages cachés dans l'ombre de leurs capuches.
Je fais un pas vers eux, la main tendue, l'autre main sur mon épée. Clothilde s'approche aussi, tenant Leif par la main. Soudain, ma femme pousse un cri qui me glace le sang :
– Harald ! Prends garde ! C'est Knut !
Le gros homme lui jette un regard aigu et se rue aussitôt sur moi. Il me porte un coup d'épée qui m'entaille le bras. Je tire mon arme et le touche à la cuisse. Il me charge comme un taureau fou. Je me défends farouchement mais mon bras brûlant devient lourd. Je change mon épée de main.
– Harald ! Fosse-à-Purin ! Tu as volé la femme d'Ingjoël

avant de le tuer, hurle Knut, et tu me voles encore cette péronnelle d'esclave ! Sois maudit !
Et il fait un pas vers Clothilde. Je me jette devant elle. Je décoche à Knut coups sur coups qu'il évite avec adresse.
Je feinte, lui porte un coup terrible et le manque. Je perds l'équilibre. Un voile me couvre les yeux. J'aperçois soudain le compagnon de Knut tirer son épée. Tout est perdu ! C'est alors qu'il court à mes côtés et ferraille dur pour nous défendre. Ce répit me redonne des forces. Knut, d'abord surpris, pousse un rugissement de rage. Avec les moulinets meurtriers de son arme, il fonce sur nous comme un rocher qui roule sur une pente, ne sentant pas plus les blessures que s'il était de pierre. Clothilde, figée de terreur, serre Leif dans ses bras :
– Je vais tuer ta misérable femme et ton chétif rejeton comme j'ai tué ta première épouse ! crie Knut.
Alors le petit Leif, hurlant à plein gosier, jette dans les jambes du dément une corde qui le fait trébucher !
Björn et quatre compagnons accourent de l'écurie et se précipitent sur Knut avec leurs fourches.
L'énorme Knut se débat, fait un bond, fauche deux hommes, blesse un troisième et s'enfuit à cheval.
Clothilde se jette dans mes bras :
– Harald ! Es-tu gravement blessé ?
– Ce n'est rien, appelle Doette, il y a là Kjartan et Gunulf qui ont besoin de soins.
– Nous croyions que Knut était mort ! Pourquoi est-il revenu ? se lamente Clothilde.
– Je crois pouvoir vous le dire, répond alors l'homme

qui accompagnait le Viking. Clothilde, je suis Renaud, ton frère !
– Renaud ! Que de joie après tant de peur, s'exclame mon épouse prête à défaillir.
Nous serrons Renaud dans nos bras.
– Mais Knut est un criminel ! Comment en as-tu fait un compagnon ? lui dis-je revenant à peine de ma surprise.
– J'ai fait sa connaissance il y a deux jours, en débarquant à Rouen où il se présenta à moi comme un paisible marchand norvégien. Il m'a dit vouloir rencontrer un certain Harald-le-Viking qui s'était établi châtelain à Franmontel. Je lui dis que c'était mon chemin. Fort curieux de savoir toute l'affaire, je l'ai accompagné. Du diable si je me doutais de la manière dont il vous aborderait !
– Et mon frère Guilbert ? demande Clothilde.
– Ma sœur, n'en soyez pas trop triste, il est mort vaillamment en défendant notre père jusqu'au bout.
Clothilde essuie ses pleurs et se joint à Doette pour soigner nos blessures avec beaucoup de savoir-faire.
– Ainsi, Renaud de Franmontel est revenu chez lui, dis-je à la fois heureux et rempli d'une pointe d'amertume. Conte-nous ton histoire, mon beau-frère !
– Le soir terrible où notre château fut brûlé, j'ai été fait prisonnier comme esclave, enchaîné, emmené au-delà des mers, vendu, revendu, évadé, repris, évadé de nouveau, naufragé, recueilli, débarqué à Rouen et enfin revenu au pays pour y trouver ma sœur mariée à un vieil ami. Voilà toute mon histoire ! Clothilde, que t'est-il arrivé et toi, Harald, comment es-tu ici ?

Nous lui racontons à notre tour nos aventures.
– Nous vivons une époque bien troublée, ma chère sœur, s'indigne Renaud. Et à qui devons-nous tout cela, sinon à toi Harald-le-Viking et à tous tes semblables, tel ce Knut sanguinaire ?
Je dois maîtriser une forte envie de me jeter sur lui mais me souvenant qu'il m'a aidé à venir à bout de Knut, je me tais.
– Mon frère Renaud, taisez-vous ! s'écrie Clothilde, soyez sévère avec les hors-la-loi, les violents. Mais Harald n'a pas de goût pour la sauvagerie et il est mon époux !
– Alors buvons à la santé d'Harald, le petit prisonnier du château, mon beau-frère et oublions Harald Fosse-à-Purin.
Sous l'insulte, je blêmis et me dressant, je saisis mon épée. Doette et Clothilde qui me posent une attelle pour soutenir mon bras blessé se récrient et m'obligent à rester en place.
– Qu'avez-vous dit, Renaud mon frère ? gémit Clothilde. Harald Fosse-à-Purin ? Pourquoi cette injure dans votre bouche ? Harald, que signifie tout ceci ?
Alors je dois raconter la mésaventure qui m'est arrivée, enfant, et combien j'ai souffert d'avoir été contraint de me cacher dans une fosse à grains pour éviter l'outrage d'un enlèvement par les fils d'Halfdan Barbe-Deux-Couleurs.
– Maître Knut m'a raconté une toute autre histoire ! s'indigne Renaud. Il fait courir le bruit que c'est la peur qui t'a fait t'enfouir dans un trou à purin !
– Knut dit bien des choses fausses, répondis-je en

colère. La rage l'aveugle et il me poursuit de sa haine.
– Il est vrai que ta famille a causé bien des torts à la sienne.
– Knut a brisé ma vie en Islande.
– Et ce sont nos archers de Franmontel qui ont tué ton père !
– Et je n'oublie pas que les miens ont écumé vos côtes et provoqué bien des malheurs dans vos villages.
Chacun se tait, baissant la tête, le cœur bien lourd.
– Seigneur ! murmure Clothilde, protégez-nous de la folie de nos pères et de la fureur des hommes de toutes nations et de toutes religions !
Je lève mon verre en riant :
– À la santé de Renaud, seigneur de Franmontel !

Le soir même, nous fêtons le retour de Renaud.
Le lendemain, je dis à Clothilde :
– Ton frère Renaud est le seigneur de ce domaine. Je dois le lui rendre. Rollon m'en a fait maître mais cela ne me plaît guère d'être le vassal de Charles de France. Es-tu prête à me suivre en Islande ?
Je n'ai là-bas que des ruines, un chagrin et des terres redevenues sauvages. Je t'offre ces pauvres biens, mais je le fais comme un prince offrirait tout l'or de Byzance à sa reine.
– Mon cher Harald, ni le vent froid ni les tâches rudes, ni les souvenirs ne m'empêcheront de suivre mon époux, mon ancien compagnon prisonnier. Je te suivrai en ton pays de terres libres, et Leif et Inga n'auront jamais à le regretter.

12

Le souvenir de Knut me hante

Quelques mois plus tard, au printemps, le drakkar *Dragon Rouge* prend la mer. Björn, Haeng, Kjartan s'embarquent avec moi pour l'Islande. Renaud a donné à Clothilde une forte dot en pièces d'or retrouvées au fond d'une cache dans les souterrains du château. J'emporte un gros butin, amassé au cours de petits raids. Renaud m'offre aussi des armes superbes pour me remercier d'avoir relevé de ses ruines le château de son père.

La ferme de mon domaine, près de la Rivière Blanche, est reconstruite, embellie, agrandie. Les champs sont labourés, ensemencés et l'orge et le seigle sont moissonnés.
Nous avons retrouvé Snorri, mon frère de sang, Vigdis et leurs trois beaux enfants, deux garçons Helgi et Njall, et Asa, jolie fillette, qui font fête à Leif et à Inga. Clothilde rit et chante en pétrissant la pâte du pain et en tissant de bonnes toiles de laine, aidée de Doette qui l'a fidèlement suivie. Mon épouse s'habille comme

nos femmes et accroche à une chaîne d'or, autour de sa taille, les clefs de la maison, les petits ciseaux et l'étui contenant le dé et les aiguilles de la bonne ménagère. Elle a transformé une grange en un bel atelier de tissage avec trois métiers droits que je lui ai bâtis. Ainsi Clothilde, Doette et Vigdis tissent-elles jour après jour de merveilleuses étoffes chaudes et souples que des marchands échangent contre du blé.

Les petites Inga et Asa apprennent à filer la laine avec une quenouille.

Pendant que dans cette grange, on travaille la laine en chantant, moi et mes hommes martelons le fer dans ma forge enfumée : tenailles, marteaux, limes, faucilles, couteaux et fers pour les chevaux avec des crocs pour éviter les glissades sur la glace, voilà pour les outils.

Je fais aussi des armes dont des épées puisque, fils de jarl, j'en ai le privilège.

Ce dur travail fait de mes mains ne m'empêche pas, les soirs de veillée, de chanter des poèmes pour mes amis.

J'ai aussi le souci de donner à mes cinq filles et garçons, Leif et Inga mais aussi Kari, Thorir et Odindisa, une solide éducation. Nager dans les torrents glacés, courir pieds nus, grimper les falaises, tirer l'épée (émoussée) et manier la hache (en bois) les aguerrissent et en feront de vaillants Vikings. Je n'oublie pas de leur apprendre à réciter des poèmes, à lire les runes et un peu de latin.

Depuis plus de vingt ans, notre vie s'écoule, paisible, sans heurt.

Mais le souvenir de Knut me hante. Je ne sais s'il est mort ou vivant.

Un matin, je pars rendre visite à Kjartan, établi plus loin sur la colline des Brumes. Il veut me vendre trois génisses et un taureau. Je laisse la ferme à la garde de Thorkild, devenu l'époux de Doette, colosse aussi fort qu'il est adroit, avec trois de mes hommes et les esclaves. Snorri et Björn m'accompagnent, eux aussi en affaire avec Kjartan.
Celui-ci, fort embarrassé, me fait part d'un rêve où je suis assailli par une montagne. Nous en rions. Sur le chemin du retour, nous marchons en poussant nos génisses, quand je vois soudain, émergeant du vallon du Foin, une silhouette gigantesque se profiler sur le ciel.
– Par Odin ! Pourquoi Thorkild a-t-il quitté la ferme ?
Je cours vers lui et je m'arrête net. Le géant n'est pas Thorkild mais Knut, bardé de fer et entouré de ses brigands.
– Tout est perdu mes amis ! Il revient de ma demeure !
Et je découvre, au loin, une colonne de fumée.
– Tuez-les ! ordonne Knut de sa voix rauque. Tuez-les tous !
Nous avons nos épées. Ils ont des haches, des lances et Knut porte une cotte de mailles.
Mais notre rage et notre fureur décuplent nos forces. Nous nous battons sauvagement, prenant abri derrière nos génisses pour éviter les terribles assauts de leurs armes. Les coups d'épée de Knut pleuvent sur les bâts fixés aux dos des bêtes qui portent des sacs de pois. Les sacs crèvent. Knut enrage.
Je vois Snorri et Björn reculer avec leurs bêtes en déroulant les cordes. Les quatre hommes de Knut

s'obstinent à me harceler tandis que Knut, à son habitude, crie à plein gosier :
– Quel Viking est-ce là ? Qui se cache dans un trou et se faufile à présent derrière une vache ! Harald Fosse-à-Purin !
Je vois rouge sous les insultes et ne prends pas garde à deux assaillants qui m'attaquent par derrière. Blessé à la jambe, je suis prêt de succomber. Je vois tout à coup lances et haches s'envoler dans les airs et sauter dans un fossé tandis que les hommes sont projetés sur le sol.
Snorri et Björn, avec à la main, leurs cordes alourdies d'une pierre tournoyant encore au-dessus de la mêlée, s'emparent des lances et se ruent au combat. Les hommes désarmés tirent leurs épées. J'ai le temps de dégager l'arc que j'ai glissé dans le bât de ma génisse, je me jette derrière un arbre et je tire flèche sur flèche.
Je blesse deux brigands, Snorri fauche un troisième.
Knut pousse un cri de rage en voyant le quatrième tourner les talons. Il fait trois pas en arrière.
Dans son dos s'élèvent des tourbillons de fumée.
– Knut ! Qu'as-tu fait chez-moi ? Réponds ou je te tue à l'instant !
– Je ne te dirai rien ! Je reviendrai, Harald ! Je reviendrai !
Et il éclate d'un rire de dément.
Nous approchons de lui, lentement. Björn et Snorri contournent les fourrés. Lorsqu'il se retourne pour fuir, il les découvre coupant sa route.
Je crie :
– Knut ! Je te défie en combat singulier ! Toi et moi !

– Tu es fou Harald ! Je ne me battrai pas en duel avec une Fosse-à-Purin !
– Je n'aurai plus jamais de repos tant que tu pourras poser tes sales pieds sur mes terres, jeter tes regards de fou sur Clothilde et tendre de lâches guet-apens sous mes pas !
Je jette alors ma cape étalée sur le sol et, levant l'épée, je lui dis :
– L'un de nous sortira vivant de cet espace. L'autre sera mort.
Snorri et Björn font un pas en avant :
– Nous témoignerons que le combat s'est déroulé selon les règles vikings.
Knut ne peut plus reculer et pose un pied sur la cape.

Knut est mort. Il gît à mes pieds. Snorri et Björn le recouvrent de la cape.
Nous courons haletants vers la ferme. Une fumée épaisse s'en échappe ! J'entends des pleurs de femme. J'appelle de toutes mes forces : Clothilde ! Leif ! Inga ! Kari ! Seul le ronflement de l'incendie me répond.
Du fossé bordé de poteaux de bois à l'entrée de la cour, je vois s'agiter un être terrifié : Doette en pleurs.
– Où sont Clothilde, Leif, Inga et les petits Kari, Thorir et Odindisa ?
Doette me désigne la maison, sans un mot.
– Clothilde !
Mais mon cri rebondit sur les nuages de fumée. Ne répondent que les sanglots de Doette et les murmures épouvantés de tous mes gens, accourant vers moi. Une

main vigoureuse prend la mienne : c'est Leif, mon fils aîné. À ses pieds, gît le brave Thorkild, inanimé :
– Va dans la réserve, père !
Je me précipite dans une hutte : des fromages qui sèchent, des poissons fumés enfilés sur des baguettes, des paniers d'orge. Plus loin, des sacs de toile grise entassés qui n'attendent que la moisson future pour se remplir.
Quelques-uns d'entre eux sont, cependant, bien rebondis.
– Mère ! Nous sommes là ! crie Leif.
Et soudain, je vois les sacs s'agiter. Une tête en sort effarée. Les cheveux d'or sont couverts de cendres :
– Clothilde ! Ma tendre épouse ! Es-tu blessée ?
– Knut ? articule ma pauvre femme.
– C'est fini ! Il est mort et bien mort ! Où est Inga ? et Kari, Odindisa ?
– Inga est dans un sac ! Les autres aussi ! Je ne sais pas dans lesquels !
Les sacs s'agitent de plus belle. On aide Inga à s'extirper de sa cachette. Puis les petits sortent en riant, n'ayant pas bien compris à quoi on jouait. Je prends ma femme dans mes bras et emmène mes enfants dans la partie de la maison qui n'a pas brûlé. Là, Doette, Clothilde et ses femmes soignent nos blessures.
Thorkild, revenu à lui, peut raconter l'histoire.
C'est lui qui, après avoir tenté d'arrêter les pillards, voyant que Knut fonçait vers la maison, emporta Clothilde, Inga et les plus jeunes et les cacha dans la réserve. Puis reprenant sa faction devant la porte de

la demeure aux côtés de Leif qui bataillait ferme, il fit croire à Knut, par sa résistance acharnée, que les femmes et les enfants y étaient toujours enfermés. Les gens d'Harald jouèrent le jeu et défendirent une maison vide pendant que Doette, voulant prévenir Harald, courait sur le chemin.

Quand Knut, blessant Thorkild, pénétra en force dans la maison, il y mena grand tapage et ressortit fou de rage en jetant trois torches en flammes sur le toit de chaume.

Sachant, pour nous avoir épiés, que nous étions tous les trois chez Kjartan, Knut nous tendit une embuscade. La dernière, car elle lui fut fatale.

Combien avons-nous, cette fois encore, frôlé le plus grand des malheurs ?

Plus tard, dans la soirée, nos esclaves ramènent le corps de Knut et les trois hommes blessés.

Le quatrième s'est enfui.

Après huit jours de soins, ceux-ci partent un matin en volant des poneys et du pain.

Jamais Clothilde ni moi ne reparlerons de Knut ; mais nos regards sont clairs et nos sourires heureux.

13

La plaine de Thingvellir

Quelques mois plus tard, nous sommes en l'an 936, un homme nommé Tofi Hulfgotson entre chez moi :

– Harald Olafson, Knut ayant été tué, comme tu ne l'ignores pas, ses compagnons t'accusent de ce meurtre. Tu dois te présenter à l'Althing où tu seras jugé.

L'Althing est notre cour de justice où siègent des hommes sages, les godar, qui font régner la paix. Je me rends, sans ressentir aucune crainte, à la grande réunion qui se déroule dans la plaine magnifique de Thingvellir, au pied de hautes falaises.

Snorri, Björn et tous mes amis du clan, prêts à défendre ma cause, viennent avec moi.

Mes esclaves nous suivent en chariot avec les tentes, les ustensiles de cuisine, les lits pour camper là-bas une quinzaine de jours.

Clothilde, Doette, Vigdis et tous nos enfants sont du voyage.

Nous arrivons par une belle journée de la mi-juin, encore fraîche pour la saison.
Pendant que les esclaves préparent les huttes en montant les tentes sur les murets déjà construits, les femmes puisent de l'eau et cuisent le ragoût.
Je vais de tente en tente visiter mes amis pour m'assurer à nouveau de leur soutien. Gissur-le-Noir, assis au fond de sa tente sur son haut siège, m'offre à boire et me dit :
– Harald, tu es l'homme le plus loyal et le plus sage que je connaisse. Si tu as tué Knut en combat régulier, je ne peux que te féliciter de cette action car c'était un fou dangereux et malfaisant. Il s'attaquait à tous, terrorisait nos femmes et nos enfants et ruinait nos biens.
Hjalti, Geir, Skafti dit Peau-de-Loup et tous les autres me font le même discours.
Mon affaire est enfin évoquée devant l'Althing.
Les quatre brigands de Knut, réunis à nouveau, se présentent. Ils exigent mon bannissement en châtiment du crime que j'ai commis ou, à défaut, la remise d'une somme de cinquante marks d'argent, ce qui leur conviendrait mieux !
Je fais trois pas et, sans omettre un détail, je raconte toute mon histoire. Lorsque le dernier mot meurt sur mes lèvres, tous mes amis se lèvent pour assurer combien j'ai dit les choses dans leur vérité.
Snorri et Björn affirment alors que l'ultime combat a été régulier, terrible, très long, et que Knut a eu toutes ses chances pour le gagner. De cela, ils ont été les témoins.
Le grand Thorkild s'avance et raconte la bataille qu'il

mena, avec Leif, pour sauver Clothilde et les enfants et combien la ferme avait souffert du feu. Snorri évoque enfin le premier crime de Knut qui eut lieu il y a plus de vingt ans, la mort de Brunehilde et le saccage des biens de la ferme de la Rivière Blanche, forfaits qui furent laissés sans jugement à l'époque.
Les godar déclarent alors, à l'unanimité, qu'ils m'acquittent du meurtre de Knut. Et leurs voix, répercutées par la falaise, sont entendues de tous.
Les quatre complices doivent payer chacun vingt öres d'argent. Ils affirment qu'ils ignoraient tout du passé de Knut et jurent qu'ils ne rôderont plus jamais autour de la Rivière Blanche.
Et chacun, sur la terre d'Islande, approuve cette décision de justice. Nous fêtons, le soir même, l'équitable jugement avec quartiers de viandes rôties, hydromel et chansons.

Le lendemain, Sigurd le grand Russe accourt vers moi, les bras tendus :
– J'entends partout conter ton histoire, Harald ! Tu es enfin libéré du démon Knut. Es-tu heureux ? Quant à moi, je renonce aux voyages. Veux-tu que je m'établisse près de chez toi ? J'ai un pécule suffisant pour finir mes jours à la campagne ! Nous boirons l'hydromel en faisant sauter tes petits-enfants sur nos genoux !
Peu après, nous plions les tentes pour rentrer. Nous avons marié quelques jeunes filles. Inga, toute rose, a épousé l'aîné de Snorri, le bel Helgi, et Leif a épousé Asa. Nous retournons à la Rivière Blanche dans ce domaine

que j'avais fondé avec une épouse aimée et où je compte finir ma vie avec une autre femme non moins aimée. Clothilde m'a donné tant de bonheur que le souvenir de ma pauvre Brunehilde s'efface pour n'être plus qu'un poème :

" La trace légère
D'un pas de femme aimée
Et chère au cœur de l'homme
Recouvre doucement
L'empreinte morte
D'un autre pas de femme. "

FIN

Les mots du roman

Aune : ancienne mesure de longueur égale à 1,18 m.

Berserk : personne atteinte de fureur meurtrière. On pense que ces hommes consommaient des champignons hallucinogènes.

Bleue (pierre) : la pierre solaire viking resta un mystère quand, en 1967, on découvrit une pierre calcaire, la cordiérite, qui devient bleuâtre face au soleil.

Bure : grossière étoffe de laine brune.

Calfater : boucher les fentes des bordages (planches formant la coque des bateaux) avec divers matériaux dont l'étoupe.

Charlemagne : roi des Francs puis empereur de l'Occident, mort en 814.

Cervoise : bière d'orge.

Coffre de nage : coffre où les marins rangent leurs affaires et sur lesquels ils s'assoient pour ramer.

Corbeaux d'Odin : oiseaux fabuleux personnalisant la Pensée et la Mémoire qui se perchaient sur l'épaule du dieu Odin pour lui conter les nouvelles du monde.

Corne : trompette faite dans une corne de taureau.

Côtes franques : les côtes de Francie, le pays des Francs.

Drakkar : navire des Vikings.

Eau chaude : des geysers.

Étoupe : fibres de chanvre ou de lin qui servaient à colmater les joints entre deux planches (bordage ou pont d'un bateau).

Fibule : épingle de métal qui se ferme (comme nos épingles à nourrice).

Fleuve : la Loire.

Franque (ville) : sans doute la ville de Chartres.

Frison (marchand) : originaire des îles de la Frise (Pays-Bas).

Fureur : prière qui se récitait dans toute l'Europe.
En latin : *A furore normanorum libere nos, Domine.*

Gerfaut : oiseau rapace qui niche dans les falaises d'Islande.

Hedeby : ville portuaire du Danemark.

Hydromel : boisson faite d'eau et de miel. C'est la liqueur des dieux.

Knar : bateau marchand viking, plus court que le drakkar.

Licorne : animal fabuleux avec un corps de cheval et une corne unique.

Lit de Ran : désigne la mer. Ran était l'épouse du dieu de la mer Aëgir.

Loup Fenrir : fils de Loki, dieu malfaisant. Le loup Fenrir brisa ses chaînes et dévora Odin.

Marchand russe : viking commerçant avec les tribus slaves. Appelé Rus ou Rous, ces marchands donnèrent son nom à la Russie.

Narval : cétacé des mers arctiques, dont l'une des canines peut atteindre 2,50 m de long. A l'origine de la légende de la Licorne.

Neustrie : actuelle Normandie.

Normands ou Normans : les hommes (man) du nord. À l'époque du récit, la Normandie n'est pas encore attribuée aux Vikings.

Olafson : le nom d'Harald, fils d'Olaf.

Öres d'argent : monnaie scandinave.
Un öres vaut 24,56 grammes d'argent. Dix öres valent un mark.

Paille de son lit : le déshonneur pour un Viking.

Presqu'île : la Bretagne.

Runes : écriture magique réservée aux inscriptions sur les stèles. L'alphabet runique compte seize caractères.

Saga : récits légendaires.

Saint-Clair-sur-Epte : le traité fut signé en 911.

Scalde : chanteur, conteur de légendes.

Seigneur : appelé Jarl. C'est un riche paysan, élu chef de clan.

Seine : après 887 ap. J.-C., les Vikings battus au siège de Paris, ne remontèrent plus le fleuve. Le roi Charles le Gros leur versait un tribut pour les éloigner.

Serf : les Vikings capturaient des hommes et des femmes pour en faire des esclaves, des serfs.

Socque : sorte de sabot.

Stéatite : pierre tendre dite "craie" de Briançon.

Thing : assemblée régulière où était rendue la justice.

Tenure : petite ferme allouée aux serfs par le seigneur qui en restait propriétaire. Les serfs ne devaient pas quitter la tenure.

Valkyries : les redoutables filles du dieu Odin.

Vikings : ces guerriers marchands venus de Scandinavie envahirent l'Europe côtière, l'Angleterre, l'Islande, la Sicile et la Russie.

Walhalla : le "paradis" scandinave. Les guerriers morts y livraient de glorieux combats, festoyaient et buvaient de l'hydromel en chantant.

Reproduit et achevé d'imprimer en avril 2006
par Aubin Imprimeur à Poitiers,
pour le compte de Gulf Stream Éditeur,
31 quai des Antilles, 44200 Nantes

Dépôt légal - 1re édition : mai 2006